1,00

# Michel
# Robichaud

**Couverture**
- Conception graphique:
  Katherine Sapon
- Photo:
  Maryse Raymond

**DISTRIBUTEURS EXCLUSIFS:**

- Pour le Canada:
  **AGENCE DE DISTRIBUTION POPULAIRE INC.***
  955, rue Amherst, Montréal H2L 3K4 (tél.: 514-523-1182)
  * Filiale de Sogides Ltée

- Pour la France et l'Afrique:
  **INTER FORUM**
  13, rue de la Glacière, 75013 Paris (tél.: (1) 43-37-11-80)

- Pour la Belgique, le Portugal et les pays de l'Est:
  **S. A. VANDER**
  Avenue des Volontaires, 321, 1150 Bruxelles
  (tél.: (32-2) 762.98.04)

- Pour la Suisse:
  **TRANSAT S.A.**
  Route des Jeunes, 19, C.P. 125, 1211 Genève 26
  (tél.: (22) 42.77.40)

# Michel
# Robichaud

NICOLE CHAREST

**Données de catalogage avant publication (Canada)**

Charest, Nicole

   Michel Robichaud

   ISBN 2-7619-0747-7

   1. Robichaud, Michel.   2. Couturiers – Québec (Province) – Biographies.
   I. Titre.

TT505.R62C52   1988     746.92'09'24   C88-096186-4

© 1988, Les Éditions de l'Homme,
division de Sogides Ltée

Bibliothèque nationale du Québec
Dépôt légal — 2$^c$ trimestre 1988

ISBN 2-7619-0747-7

Un nom. Qu'est-ce que c'est qu'un nom? C'est ce qui est posé sur nous comme une étiquette. C'est ce qui nous fait lever la tête quand quelqu'un le prononce. C'est ce qui nous fait répondre «présent» à chaque question de la vie. C'est ce que nos parents nous ont transmis et que nous allons faire vivre à notre tour.

FRÉDÉRIQUE HÉBRARD.

# *Avant-propos*

Je savais de lui qu'il était volontaire, un peu timide, parfaitement distingué et volontiers secret. J'ai appris en plus qu'il était lucide, intransigeant, fidèle, bien de chez nous et l'assumant avec fierté. Ce ne sont pas de minces découvertes en ce début d'été voilé et torride où j'amorce la rédaction de ce livre.

Écrire sur une personne de son vivant est d'ailleurs bien hasardeux. On n'entreprend pas une enquête sur la vie de quelqu'un sans partager avec cette personne les aléas de la traversée, sans s'exposer à quelques tempêtes et à certains vents contraires. Mais comment ne pas succomber au charme discret de cet homme, à cette force vive et indispensable où se croisent bon goût, talent et sûreté de vue.

Bien sûr, dans ce monde où la technique, l'informatique, l'électronique, la bureautique, le supersonique font la nique au chiffon, ce livre sur la mode et sur un couturier, québécois de surcroît, semble anachronique. À notre époque d'accélération de l'histoire télescopant les années, on a l'impression d'entrer à reculons dans un univers de mondanités et de sourires de convention où l'éphémère est roi, à mille lieues de l'actualité. La nostalgie étant ce qu'elle est, comment faire d'un passé encore proche un nouveau présent?

En acceptant ce livre, Michel Robichaud en a accepté les règles. C'est-à-dire qu'il va se raconter sans détours et dévider le fil de sa mémoire avec honnêteté, parfois même avec candeur. Au gré des jours, il parlera de son enfance heureuse sur le Plateau Mont-Royal et de ses études à Paris à l'école de la Chambre syndicale de la couture, puis de son travail chez les couturiers Nina Ricci et Guy Laroche; il décrira les années des débuts, aussi douces qu'un conte de fées, et celles plus âpres où il tente de faire connaître sa griffe; il opposera le couturier vedette à l'homme d'affaires pondéré qu'il est devenu.

Aussi ce livre n'est-il ni une enquête ni un interrogatoire, pas davantage un panégyrique ou un roman, mais une vérité. Ce ne sont pas les dessous très privés de la vie d'un homme qui a son mystère qui nous intéressent ici, mais un cheminement professionnel s'imbriquant de façon parfaitement cohérente dans l'évolution d'un homme de chez nous. L'analyse peut à certains égards paraître superficielle ou, parfois, rigide. Le parcours, lui, ne saurait laisser indifférent.

Le charmant jeune homme blond aux yeux pervenche et aux longues mains fines et mobiles qui installa sa maison de couture, il y a de cela vingt-cinq ans, dans un quartier chic de Montréal, a «l'assurance incertaine de ceux qui exercent un métier où ils ne succèdent à personne. Il est l'espoir le plus authentique d'une nouvelle génération à qui rien n'est venu facilement mais qui ne demande qu'à réussir[1].» Il va devenir en une collection et treize modèles le chéri des journalistes et le préféré des belles dames

---

1. «Le couturier de ces dames signe Michel Robichaud», Jean-V. Dufresne, *Le Magazine Maclean*, octobre 1965.

en quête de séduisants atours.

Michel Robichaud va lentement se construire une réputation, asseoir son entreprise, soutenir l'une et l'autre contre vents et marées, exprimer un style, le conserver, trouver sa voie et faire en sorte qu'elle colle à la réalité du milieu québécois qui l'a vu naître et où il veut réussir. Il va consacrer le plus fort de son énergie à se faire une griffe, à vendre son nom, en son nom.

Vingt-cinq années de mode, vingt-cinq années de travail. De travail acharné, passionné, raisonné, pour faire vivre et exister une couture canadienne, mais surtout québécoise. Michel Robichaud fait ses débuts dans l'appétit de croissance des années soixante, et s'installe parallèlement à cette révolution des idées et des hommes qu'on voulait tranquille et qui culmina avec l'Expo et son ouverture au monde. Il connaîtra dans les années soixante-dix l'euphorie d'un pays qui, s'étant longuement cherché, croira s'être enfin trouvé. Sur les trois étages de la maison victorienne en pierres grises de la rue Crescent, baptisée pour un temps «rue de la mode», couture et prêt-à-porter féminins Michel Robichaud cohabitent avec Fiorentino, boutique réservée aux hommes. Là se succéderont les gros bonnets péquistes et libéraux, les hommes d'affaires bon teint, les fidèles de la maison de couture de l'avenue des Pins, les élégantes de toujours et les vedettes du moment, mais aussi madame Tout-le-Monde.

Car la mode est descendue de sa tour d'ivoire; elle s'est démocratisée. Si elle n'est pas encore tout à fait accessible, les temps ne sont pas éloignés où elle le sera. Malgré cela, Michel Robichaud va connaître, comme toujours, comme partout, la difficulté de concilier les exigences de la création et les besoins des affaires. Il va comprendre que pour continuer à vivre de la mode, la haute-couture ne peut suffire et qu'il lui faut diffuser largement son nom s'il veut faire accepter ses idées. Il va donc donner son nom à une série de collections, de produits et d'accessoires, dont son fameux parfum *Brunante*, et à ces autres éléments essentiels à la compréhension de la logique de l'évolution Robichaud; par extensions successives, ce sont les fourrures, les maillots de bain, le prêt-à-porter masculin, les cravates, la lingerie, les foulards, le cuir, les montres, les bijoux de fantaisie, etc. Aujourd'hui, avec une collection de grande série nommée Robichaud Diffusion, vendue par le catalogue Sears et dans les magasins du même nom, il est véritablement descendu dans la rue.

Certains l'ont critiqué là-dessus. En fait, ce qui frappe, c'est la continuité de ce qui s'appelle «une griffe», «un style» — ce noyau de permanence qui est plus et mieux qu'une mode, notion qu'il déteste, d'ailleurs. Il a une sorte de prédilection pour le beau, la simplicité, le confort. Le contraire de la prétention. Michel Robichaud a coutume de dire qu'il croit aux vêtements qui durent, dans lesquels on se sent bien et qui au bout d'un an sont encore portables et dans le ton. Est-ce pour cela que son amie, la chanteuse Diane Juster, dit de lui: « C'est un éternel démodé. Il dépasse et surpasse la mode.» Il le reconnaît lui-même: «La mode est une école de modestie. On se rend compte qu'on est très malléable et que notre regard est extraordinairement changeant. Tout le monde déteste le démodé, cependant il suffit de s'asseoir un soir devant un vieux film à la télé pour s'apercevoir qu'on vit dedans.»

Cette permanence d'un style, ce classicisme, cette élégance parfaite qui ne bouscule pas, je les ai retrouvés chez les irréductibles de Robichaud, ses clientes de toujours, ses fidèles. Elles m'ont reçue en Robichaud d'aujourd'hui ou d'il y a deux ou trois ans, tout aussi bien mises; certaines m'ont montré des robes d'il y a vingt-cinq ans conservées comme des pièces de collection.

Et il est vrai que si la mode est aujourd'hui présente dans les musées, c'est qu'elle est enfin acceptée par tous, reconnue comme un art. Elle représente cette part de rêve que chacun porte en soi et garde en réserve pour résister aux assauts de la société moderne. Un rêve qui, il faut bien le reconnaître, suscite et justifie une activité industrielle importante qui contribue au rayonnement commercial d'un pays. «Alliance de la création et de l'entreprise, la mode est une voie d'avenir pour le Québec», ne cesse de répéter Michel Robichaud.

Et c'est ici au Québec qu'il a développé un art de vivre fait d'optimisme, de patience, de constance et d'élégance en dépit des coups du sort et de l'étroitesse d'un pays qui n'est immense que géographiquement. Si arriver y est possible, durer y est difficile. Seulement, que signifie durer et surtout comment durer alors que nous vivons à une époque et dans un pays où tout ce qui est nouveau est jugé comme meilleur? La mode manque de mémoire. Il faut dire qu'avec un renouvellement de ses créations tous les six mois, elle a tendance à vivre à fond l'éphémère et à perdre ainsi le sens de la permanence. Cependant, si vous demandez autour de vous: «Connaissez-vous Michel Robichaud?», vous verrez que du plus vieux au plus jeune, du sportif à l'intellectuel, de l'ouvrier au professionnel, pas un Québécois n'ignore son nom. Bien sûr, il arrive qu'on associe les noms de Dior, de Cardin et de Robichaud. On pensera même qu'à l'exemple des deux premiers il est Français. On lui concédera un empire. On le pensera millionnaire!

Ni les assauts des importations de plus en plus accessibles ni les démonstrations de ce snobisme de colonisé qui veut que le talent venu «d'ailleurs» soit nécessairement plus grand n'ont fait vaciller Michel Robichaud. Pas davantage, et c'est aussi important, ne le dérange l'ascension des autres couturiers québécois. De même qu'il s'était esquivé il y a vingt ans du peloton de tête formé par Raoul-Jean Fourré, Marie-Paule et France Davies, il a été rejoint avec le temps par John Warden, Léo Chevalier et Jean-Claude Poitras, et mis parfois sur la sellette par les nouveaux dessinateurs de mode. Qu'importe. De tous, il se distingue par la continuité et reste toujours en tête au milieu des engouements passagers.

«Ce que je veux, c'est être parmi les premiers à répondre aux besoins des consommateurs. Que le plus de gens possible connaissent Michel Robichaud et s'habillent en Robichaud. Le contexte économique nous force à aller plus loin, plus vite. On ne peut passer sa vie à travailler en chapelle fermée, à créer des robes de rêve invendables. Il faut descendre dans la rue.»

Dans ce métier se livrent d'âpres luttes d'influence: dures épreuves qui obligent à défendre et à développer les qualités de sa propre inspiration et à assumer les tâches du gestionnaire. Michel Robichaud recommencerait-il? Suivrait-il de nouveau toutes les étapes qui l'ont conduit là où il est? «Non!» Pour ce perfectionniste, cet inquiet qui hésite longuement et soupèse soigneusement chaque décision, les transitions sont mûrement réfléchies et assumées. «Je ne pourrais pas recommencer, avoue-t-il. Ces énergies-là sont mortes; mes énergies actuelles sont maintenant canalisées vers l'avenir.»

Il serait périlleux de tenter de résumer en une formule l'apport de Michel Robichaud à la mode canadienne. Pour ce fanatique d'élégance et de classicisme, la définition même de la mode et de la création s'est enrichie, diversifiée avec les années. Concevant ses activités comme un engagement personnel et global, il leur consacre l'essentiel de ses forces, de son inspiration. Épris de beauté, il est aussi passionné par les problèmes de l'esthétique fonctionnelle: il n'a pas hésité à

14

concevoir une quantité impressionnante d'uniformes de tous genres. L'efficacité devant aller de pair avec la vitalité créatrice, ce modéré lance ses révolutions avec un infaillible instinct. La dernière: il choisit de commercialiser son talent, de permettre à toutes les femmes d'avoir, par catalogue interposé, leur vêtement Robichaud. Cela ne va pas sans égratigner certaines susceptibilités.

Toute médaille a son revers. Si l'on chante ses louanges — et, candide, il ne se lasse pas de les entendre —, il arrive aussi que des critiques assez cruelles soient exprimées à son propos. Aux moments de gloire succèdent des moments difficiles, des passages à vide où il lui faut affronter le cortège de la jalousie, de la médisance, de la malveillance, de cette méchanceté gratuite qui humilie et laisse une trace profonde parce qu'elle est elle-même quelque chose de honteux. On ne se *confectionne* pas vingt-cinq années de couture sans quelques épingles malencontreusement plantées. Avec cette partialité bienheureuse que le temps vous apporte, Michel Robichaud, comme tout un chacun, se rappelle la crème de ses souvenirs et laisse les mauvais au fond du sac.

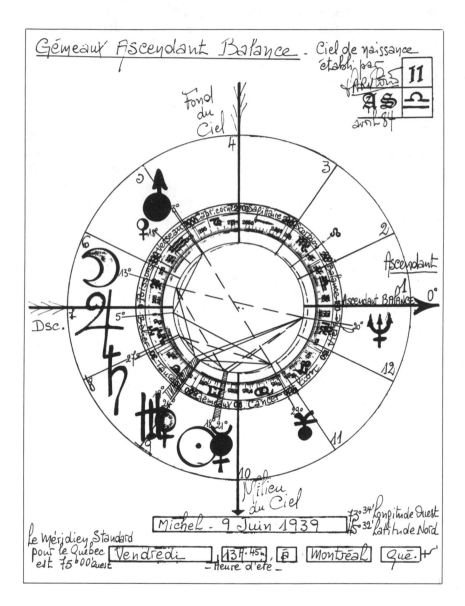

Gémeaux Ascendant Balance - Ciel de naissance établi par

Fond du Ciel

Ascendant

Ascendant Balance 0°

Dsc.

Milieu du Ciel

Michel - 9 Juin 1939

73°34' Longitude Ouest
45°32' Latitude Nord

Le Méridien Standard pour le Québec est 75°00' Ouest

Vendredi    13 H. 45 m.    à    Montréal    Qué.

- Heure d'été -

16

# 1

## *Une enfance heureuse*

Enfant, je ne doutais pas une seconde que mes
rêves se réaliseraient un jour.

ROMAN POLANSKI.

Il n'y a pas de génération spontanée. Si vous savez
d'où vous venez, vous connaissez quelque chose de
vous-même. La détermination, la ténacité même que
Michel Robichaud démontrera dans l'exercice d'un
métier neuf et le développement d'une griffe québécoise, il les puisera dans ses racines, dans le vieux
fonds familial. «Dans la famille, on est têtu!»

Né à Montréal le 9 juin 1939, à quatorze heures,
sous le signe des Gémeaux ascendant Balance,
Michel, deuxième fils d'Émile Robichaud, représen-

tant de commerce, et de Charlotte Laberge, une femme fort gaie qu'il vénère, connut une enfance heureuse.

Il appartenait à une famille assez religieuse pour inculquer aux enfants une morale et des principes qui baliseront leur vie; assez chaleureuse et attentive pour prévenir toute envie de rupture; assez stricte pour donner des usages mais assez souple pour éviter d'entraver la liberté; assez tolérante enfin pour favoriser une belle ouverture d'esprit et accepter que Michel emprunte des chemins originaux.

Vivre à Montréal en plein Plateau Mont-Royal, au deuxième étage d'une maison de la rue Laurier, à l'aurore des années quarante: on croirait lire un roman de Michel Tremblay. C'est un quartier prolétaire que traversent les trolleybus. L'école des Saints-Anges n'est pas loin, qui s'anime glorieusement chaque printemps au moment de la Fête-Dieu; on y vibre alors dans un envol d'ostensoirs et de soutanes. La Fête-Dieu, Noël, Pâques, toute la liturgie sacrée donne lieu à des fêtes qui vont marquer le petit Michel. Il va être emporté par quelque chose dont il ne connaît pas le nom et qui va dominer sa vie. De ce goût du faste, du panache, du paraître et du spectacle, il va faire un métier.

Aussitôt après le défilé de la Saint-Jean, la famille Robichaud quitte la ville jusqu'à la fête du Travail. D'abord on va dans un chalet qu'on loue du côté de Saint-Maurice, sur la rivière des Mille-Îles, ce qui permet au père de venir chaque soir retrouver les siens. Puis on ira à Saint-Sulpice, sur les bords du Saint-Laurent et ensuite au lac Simon. Souvent, on part en visite à Saint-André-Avellin, à Notre-Dame-de-la-Paix, chez les arrière-grands-parents maternels où, plus tard, les grands-parents se retireront eux aussi.

Pour l'instant, grand-papa Laberge travaille au Grand Tronc et a la passion des voitures, qu'il use avec une rapidité foudroyante; grand-maman tient une épicerie à Pointe-Saint-Charles. Pendant la crise de 1929, elle disait aux clientes qui ne pouvaient pas payer: «Ça ne fait rien, vous me coudrez une petite robe pour ma fille.» Charlotte, la mère de Michel, avait la plus belle garde-robe du quartier.

À Notre-Dame-de-la-Paix, dans les années quarante, c'est encore la nature en friche. Quand on va s'y promener, on habite la grande maison de l'oncle Placide. Comme il n'y a pas l'électricité, on s'éclaire à la lampe Aladin. Les ombres dansent sur les murs, le frémissement de la lumière entraînant d'immenses fous rires. Parfois l'inquiétude s'installe: des militaires se cachent dans les bois; ce sont des déserteurs qui refusent de faire la guerre dans les vieux pays. On en parle à voix basse autour de la table familiale, le soir. Et dans les couloirs enténébrés, on redoute d'en croiser un.

Seule la grand-tante Olivine, qui a été mariée à un gérant de banque, n'a pas peur. À quatre-vingts ans, elle a décidé de se faire construire une maison de plain-pied, suivant ses plans et ses indications, «parce qu'à mon âge, dit-elle, les escaliers me fatiguent». Et quand on lui parle de Henri Bourassa, qui l'a courtisée dans le temps et qu'on lui demande pourquoi elle ne l'a pas épousé, un si beau parti, elle proteste que «ça n'était pas correct; une veuve ne se remarie pas».

Il y a aussi l'oncle Eugène, qui est retraité et habite le village. Sa femme, tante Émilia, se plaindra toute sa vie d'une santé défaillante qui la conduira gaillardement jusqu'à quatre-vingt-huit ans. «J'verrai pas les feuilles tomber», disait-elle, puis: «J'verrai pas les feuilles pousser.» C'était une vraie rengaine que, moqueur, le petit Michel commentait ainsi: «Alors, comme ça, les feuilles, ma tante, vous les avez encore vues pousser cette année?»

C'est là, du côté de Saint-André, auprès de la famille de sa mère, que Michel Robichaud prendra le goût de la nature, de la marche, des sports solitaires; il préférera toujours les disciplines individuelles aux activités de groupe. À quatre ans, à Saint-Sulpice chez l'oncle Arthur et la tante Yvette, les jours de pluie, pour le distraire on lui prête la collection de boutons de madame Sauvé qui tient une mercerie au village. Il joue des heures sur le plancher orange; il s'amuse non pas à associer les boutons par gammes de couleurs mais plutôt à constituer des assemblages différents, des harmonies chromatiques qui vont étonner la famille et l'émerveiller. Michel a posé son premier geste artistique. Bien d'autres suivront. Les chapeaux, les turbans, par exemple, qu'il confectionne de ses longs doigts agiles avec le papier qui enveloppe les oranges de Noël.

Sous prétexte qu'il est couturier, n'allez surtout pas penser qu'enfant, il s'installe dans un coin pour tricoter ou pour coudre. C'est le dessin qui l'intéresse. Pas de surprise. Il a de qui tenir; déjà son père dessine très bien. «Ah! il avait un joli coup de crayon, le père, se rappelle le frère de Michel avec enthousiasme. À main levée, il dessinait un cheval en mouvement. Moi, j'ai toujours eu du mal à faire un cercle rond. Je me souviens, quand j'étais au jardin d'enfants, papa avait réalisé en quelques traits précis un petit personnage portant à bout de bras une brassée de ballons. Tout fier, je l'avais remis à la maîtresse en disant que c'était de moi. C'était une femme de tête, cette soeur Alberta Laforce, qui, comme toutes les soeurs du Bon-Conseil à l'époque, montrait ses cheveux et conduisait une voiture! Elle ne s'est pas laissé duper une seconde. Au cours suivant, j'ai trouvé mon dessin annoté de la façon suivante: Émile Robichaud père: 10 sur 10; Émile Robichaud fils: 0.»

C'est Michel qui a hérité des talents paternels. Il dessine une pomme près d'un bol posé sur une table, peint à l'aquarelle des paysages de Saint-André, les champs d'avoine, le lac si calme. Certains de ses tableaux de jeunesse sont encore accrochés aux murs de la maison de la rue Laurier que ses parents habitent depuis cinquante-trois ans. À treize ans, il participe à un concours organisé conjointement par Dupuis Frères et le journal *La Presse*; il envoie une toile inspirée d'une carte postale de Saint-Benoît-du-Lac que lui a expédiée son frère Émile. Il obtient le premier prix et gagne... un gant de base-ball qu'il ne se souvient pas avoir jamais utilisé. Mais pour la première fois, il a son nom écrit dans le journal.

Il rêve: connaîtra-t-il une grande destinée? La vie va de plus en plus vite. Déjà on ne vit plus de la même manière que dans sa petite enfance. Il observe gens et choses. Il ne comprend pas toujours. Alors, dans le grand lit qu'il partage avec Émile, son aîné de quatre ans, il dit tout bas ses chagrins et ses joies, ses secrets et ses inquiétudes. Émile est de bon conseil, il le rassure, tente de lui expliquer la vie.

Ensemble, ils parlent non pas de refaire le monde mais de créer quelque chose pour ici. Ils ont déjà un sentiment très net d'appartenance à la terre québécoise, et lutteront toujours à leur manière pour s'y faire une place — la première. Émile sera instituteur puis directeur de l'école secondaire Louis-Riel, dont il va faire une école pilote d'une grande qualité; il écrira des livres contestant les nouvelles méthodes d'éducation et se fera une réputation dans ce domaine.

Leur détermination prend ses racines en terre acadienne où l'ancêtre Louis Robichaud, «Français, catholique et de moeurs irréprochables» selon le voeu de Richelieu, s'installa vers 1636 et mourut quelque douze ans plus tard âgé de quarante ans. Étienne, né entre-temps, assurera la descendance des Robichaud en Acadie. Il est intéressant de comparer la généalogie de monseigneur Norbert Robichaud, archevêque de Moncton, celle de l'Honorable Louis Robichaud qui de

# TABLEAU GÉNÉALOGIQUE

## DE LA

## FAMILLE ROBICHAUD

L'ancêtre Louis Robichaud est venu en Acadie vers 1636. Il eut deux fils: Charles, né en 1637, qui disparut sans laisser de traces et Étienne, né en 1639, qui assura la descendance des Robichaud en Acadie. Le nom de son épouse nous est encore inconnu. Son acte de décès fut retrouvé dans les registres de Québec; il est décédé le 4 janvier 1649 âgé de 40 ans.

**Première génération**

1- Étienne Robichaud — Acadie, vers 1663 — Françoise Boudrot
(Michel & Michelle Aucoin)

**Deuxième génération**

2- François Robichaud — Acadie, vers 1702 — Madeleine Terriot
(Claude & Marie Gauterot)

**Troisième génération**

3- François Robichaud — Port-Royal, 07-01-1739 — Marie Le Borgne-Belle-Isle
(Alex. & Anastasie de St-Castin)

**Quatrième génération**

4- Michel Robichaud — 26-01-1784 — Marguerite Pinet
(Pierre & Marguerite Michaud)

**Cinquième génération**

5- Anselme Robichaud — Rivière-Ouelle 22-08-1815 — Pétronille Dubé
(Pascal & Théotiste Boucher)

**Sixième génération**

6- Urbain Robichaud — La Pocatière 07-01-1845 — Théotiste Potvin
(Vallier & Marie Morin)

**Septième génération**

7- Louis-Gaspard Robichaud — Rivière-Ouelle 26-07-1869 — Hélène Piuze
(Norbert & Flore Letellier)

**Huitième génération**

8- Joseph-Augustin Robichaud — Saint-Jean-Port-Joli 24-01-1899 — Lumina Gamelin
(Noé & Sophie Hamel)

**Neuvième génération**

9- Émile Robichaud — Saint-Charles, Montréal 28-07-1934 — Charlotte Laberge
(Albini & Evelina Charlebois)

**Dixième génération**

10- Michel Robichaud — Saint-Stanislas, Montréal 7-03-1963 — Lucienne Lafrenière
(Léo & Germaine Gélinas)

«Belles, bonnes, grandes et vieilles familles, quelles que soient vos dimensions et votre renommée, familles chrétiennes ou païennes, familles d'hier et d'aujourd'hui, vraies familles construites sur de vraies amours, et même celles qui portent les stigmates de quelque faute ancestrale, je vous aime toutes et chacune à travers le Créateur de toutes choses.»

Joseph Jacquart.

Fait et compilé par Régis Corbin à
Saint-Eustache, le 24 février 1976.

1960 à 1970 fut le Premier ministre — d'origine acadienne — du Nouveau-Brunswick, et celle de Michel
Robichaud, couturier établi à Montréal, et de constater
que tous trois sont de même lignée.

En ce temps-là, à Grand-Pré, les nouveaux Canadiens cultivent un sol très fertile. Ils laboureront avec
une ardeur constante malgré les guerres et
l'occupation anglaise. Parce qu'ils refusent de prêter
le serment d'allégeance, ils seront finalement expul-
sés, dispersés. Ils prendront la route de l'exil; les
familles démembrées, ils ne retrouveront jamais qui
leurs enfants qui leur conjoint. Lors de ce Grand
Dérangement, ils laisseront des biens accumulés
depuis trois générations. Tout sera à recommencer.
Ils recommenceront.

Les vers d'Alfred Desrochers viennent en
mémoire:

> Je suis un fils déchu de race surhumaine
> Race de violents, de forts, de hasardeux.

Saint-Jean-Port-Joli, Saint-Rock-des-Aulnaies, La
Pocatière, Rivière-Ouelle, de Saint-Denis jusqu'aux
îles. Le bas du fleuve respiré à pleins poumons.
L'odeur des grèves qui emplit l'air. Paysage d'été bleu
de brume chaude. L'automne livré aux outardes, aux
canards, aux sarcelles, aux bernaches, aux oies sauvages. L'hiver, il gèle à pierre fendre. En bordure du
fleuve, les collines de Kamouraska émergent du bas
taillis. Des Robichaud vont y planter leurs racines.

Dans leur histoire, il faut voir un présage. Urbain
Robichaud n'est pas moins déterminé que ses aïeux.
Cet agriculteur qui a fait ses humanités et lu et relu
*Les Aventures de Télémaque* de Fénelon, est très fier
de ce taureau noir avec ses cornes blanches à bouts
noirs qu'il a baptisé Astyage du Sable, d'après la
mythologie. Né le 13 juin 1898, élevé sur les terres de
Saint-Denis de Kamouraska, Astyage est un digne
représentant de cette race bovine canadienne issue de

Jersey, de Guernesey et de Kerry et constituée des «meilleurs animaux du royaume» selon les instructions données à son ministre Colbert par Louis XIV. Dans son livre sur l'histoire du bétail canadien, le D<sup>r</sup> J.A. Couture écrira «qu'elle est la seule qui ait été fondée, développée et conservée dans toute sa pureté depuis près de trois siècles»; l'Organisation des Nations-Unies la déclarera patrimoine mondial en 1987, mais jusque-là combien de difficultés! Nul n'est prophète en ce pays, un taureau pas plus qu'un homme.

Assurément bien intentionnée, la Chambre d'agriculture s'était attachée dès la première année de sa fondation, en 1853, à substituer l'Ayrshire et les autres races importées. «Cette campagne contre la race bovine dura vingt-cinq ans et la Chambre d'agriculture réussit à merveille dans son oeuvre de destruction, raconte encore le D<sup>r</sup> Couture. Le cultivateur se prit à détester sa race de bétail et à soupirer après le jour où il pourrait la remplacer.» Seuls résistèrent une poignée de cultivateurs dont Urbain Robichaud et son ami Thomas Chapais, l'historien, le fils de Jean-Charles Chapais, l'un des Pères de la Confédération.

Ainsi se fait et se défait l'Histoire. Une fois encore, on avait agi sans penser aux conséquences de ses actes comme le font la plupart des hommes à toutes les étapes de leur vie, investissant ainsi dans l'éphémère et abandonnant toute aspiration à la solidité, à la simplicité. Une fois encore, des Robichaud vont s'entêter et tâcher de sauvegarder leur patrimoine. Il n'y a pas de génération spontanée. Ceci explique cela. Dans la bataille pour la terre, dans la lutte pour la préservation d'une race bovine pure, sans manipulation génétique, dans la défense d'une industrie de la mode québécoise et canadienne, il y a une même volonté de construire et d'aller de l'avant, et pour ce faire, il faut des hommes fiers et courageux, têtus et obstinés, déterminés.

Pour les «vieux» de Saint-Denis aujourd'hui, les Robichaud, Émile et Michel, sont des enfants du coin dont on se répète les succès avec fierté et qu'on suit de loin, par les journaux, par la télévision. Et pourtant, il y a bien des années maintenant que Joseph-Augustin Robichaud, le grand-père renfermé et méditatif, a brisé le lien qui unit les Robichaud à la terre de Kamouraska. Il choisit de s'établir à Saint-Vincent-de-Paul avec ses neuf enfants; Émile, le père de Michel, a tout juste seize ans. Déjà, les temps changent et le tracteur commence à remplacer le cheval. Comme cela se disait à l'époque: «On a assez semé d'avoine à joual; comment qu'on va faire astheure pour semer de la gazoline à tracteur?»

Ils changeront de ville, de terre, même de métier mais ils n'oublieront jamais Kamouraska; Roland, le fils aîné, y retournera plusieurs fois en visite et y mourra. Émile, le père de Michel, lui, n'y retournera jamais, n'en parlera jamais. Il se fera représentant en articles de fourrure: bandes, manchons, boutons. Chaque année, au moment du Salon international de la fourrure de Montréal, Place Bonaventure, un vieux monsieur vient vers Michel qui y participe comme créateur, et dit: «On se souvient bien de votre père, c'était un gentleman.»

Droit comme un *i* pour ne point perdre un pouce, le cheveu dru, la moustache fine, Émile Robichaud, bon époux, bon père, appréciait les idées neuves, lisait les journaux de la première à la dernière page, écoutait les nouvelles toutes les heures, se tenait au courant de tout. Avec lui, les horaires étaient stricts, les caprices interdits, la discipline sévère. C'est la mère qui venait arrondir les angles, adoucir les pénitences, atténuer la rigueur de la discipline; ses fils l'adoraient. Dans les albums de famille, on l'aperçoit grande et mince, élégante dans de jolies robes à la Gatsby. Expansive et volubile, Charlotte avait un rire merveilleux qui tombait en cascade pour un tout ou pour un rien. Elle était aussi ricaneuse que son époux était taciturne. Et cela valait parfois aux enfants d'entendre ce savoureux dialogue: «Voyons, Émile, ris pas... Tu pourrais te fendre la lèvre. — J'ris quand c'est drôle!»

Le père, c'était un tragique. Un tempérament de spartiate. Il détestait larmoyer sur son sort, refusait de se plaindre, ne l'acceptait pas davantage de ses fils. Il leur inculquait le courage, le refus de se laisser arrêter par la peur: «Tout le monde a peur, disait-il; les peureux ont peur avant, les braves ont peur après. Tu vas passer à travers.» Son attitude était sévère, parfois rigide; mais un solide bon sens et une force de caractère peu commune le rendaient attachant. C'était d'un ton bourru, mais néanmoins chaleureux, qu'il murmurait: «Très bien, ti-gars!»

Il cultivait la tolérance. Il avait une grande ouverture d'esprit. C'était l'antithèse de l'idéologue avec des tas de concepts, de règles, de lois. Il avait des exigences élevées sur des choses importantes et suivait en tout une sorte de règle venue du coeur et dosée par l'intelligence. «Papa, on nous a dit qu'il ne fallait pas fréquenter le YMCA, il paraît que c'est plein de protestants: ils prennent leur douche tout nus.» «Laisse-les dire», répliquait le père.

Il se révéla trop respectueux de la liberté individuelle pour assigner à ses fils une carrière précise. Il essayait de les former, de leur inculquer les vérités auxquelles il croyait. Puisqu'ils ne pourraient prétendre à aucun héritage, il leur appartenait de s'organiser eux-mêmes pour se lancer dans la vie. L'aîné suivra un chemin bien balisé – cours classique au collège Sainte-Marie et carrière d'instituteur. Le père acceptera sans s'en étonner les choix du cadet, même si celui-ci se lance dans un métier inconnu dont on ne peut prévoir les débouchés, mesurer les avantages, connaître les ressources. Aujourd'hui, un éclair de fierté dans l'oeil, il s'exclame: «Il aurait pu devenir farfelu!»

L'ambiance familiale était faite de rigueur et de travail, mais aussi de plaisirs. L'aîné des garçons était acharné au travail, posé, secret et réservé comme son père. Michel, lui, était un enfant facile, turbulent, au tempérament original; il avait une gamme de talents variée; il jouait même du piano. Si l'usage était de se barricader contre les vents de la futilité, les deux frères travaillaient fort et luttaient pour obtenir sinon les premières places du moins de très bonnes notes.

On ne délaissait pas pour autant le rire et la gaieté. Chez les Robichaud, on s'amusait bien... un peu plus peut-être quand le père était absent. Alors, Émile et Michel se lançaient dans toutes les folies de l'enfance, enfermaient leur mère dans la salle de bains, l'«aidaient» à la vaisselle en se repassant les assiettes qu'elle lavait, l'un faisant semblant de les essuyer, l'autre les remettant dans l'évier, dans d'interminables éclats de rire.

Michel avait déjà un charme et des talents de séduction dont il usait avec habileté; son entourage n'y résistait guère. Assez hardi pour se jeter à l'eau et apprendre la brasse, assez sérieux pour être enfant de choeur et passer chaque jour au prêtre les burettes de vin — s'étonnant juste que l'un d'eux en demande toujours davantage —, il se permettait tous les mauvais coups des petits gars des rues. Le portefeuille placé bien en évidence sur le trottoir et qu'une ficelle astucieusement dissimulée ramenait vers soi quand un passant se penchait pour le ramasser; les sonnettes des maisons sur lesquelles on appuyait pour se sauver ensuite; les batailles de boules de neige qu'on menait contre les petits Anglais du quartier voisin; les sapins de Noël qu'on ramassait partout au lendemain des Fêtes pour les déposer tous dans la cour de «Carabine à Sel», une mégère sèche et dure qui n'aimait pas les enfants; c'était le petit Robichaud.

À onze ans, il jouait au piano *La Mort de Paderewski*, tapant sur le clavier de toutes ses forces, les cheveux lui tombant dans les yeux, tendu, crispé jusqu'au moment où, de désespoir ou de fatigue, il s'écrasait bruyamment sur le sol. Sa petite soeur, Louise, de huit ans sa cadette, pleurait:

«Lève-toi, Michel, lève-toi.

— J'peux pas, j'suis mort.

— Papa, papa! Tu vois bien, papa, il est mort. Michel est mort. Il le dit.»

Voulait-on monter une «séance»? Michel y participait volontiers, à une condition: avoir le choix de son rôle, celui des costumes et du décor. Même au jeu, il n'était déjà pas question de lui assigner une place. Les enfants du quartier, des rues Marquette à Garnier, Marie-Anne à Laurier, se réunissaient, selon la saison et selon le sujet, dans le hangar ou dans le salon double des Robichaud. Prix d'entrée: deux cents ou deux épingles à linge. On cognait les trois coups. On levait le rideau. Et c'étaient des histoires à faire frémir d'horreur. On jouait *L'Homme en noir*, un roman-fleuve de la radio, puis *La Chambre noire*, comme au Parc Belmont; les portes grinçaient, des formes inquiétantes se dessinaient, des trappes s'ouvraient, de grands fils pendaient du plafond et, dans la pénombre propice, vous frôlaient le visage; les gémissements fusaient, c'était l'épouvante. Plus les hurlements étaient sincères, plus les initiateurs de la «séance» jubilaient. Il fallait toujours être plus hardi, inquiéter, affoler, suffoquer de peur. Dans un tout autre registre, on refaisait l'Année sainte avec le pape vêtu d'un long manteau d'or ouvrant les grandes portes de la chrétienté. Il y avait aussi la canonisation de Maria

Goretti. On fabriquait un autel et on prenait la plus sage des filles; elle serait Maria couchée sous l'autel, comme dans une châsse de verre.

Plus tard, les «séances» se sont raffinées et miniaturisées. Avec un camarade, Guy Dussault, Michel montait des spectacles sur des airs d'opéra. Il fallait créer l'ambiance d'une soirée théâtrale, prévoir des jeux d'éclairage avec des lampes de couleur et fabriquer un piano à queue en carton. La chanteuse était une poupée habillée en diva. Enhardis par leurs succès, ils montèrent un spectacle avec un Liberace tout habillé de blanc, des rideaux de tulle bleu, l'inévitable candélabre; c'était spectaculaire. Mais la famille Dussault, dont les douze enfants étaient tous musiciens, n'apprécia guère cette incursion dans le populaire.

Longtemps, pour Michel, les plus beaux spectacles seront les diverses cérémonies religieuses. Le curé de la paroisse Saint-Stanislas, monseigneur Deschênes, un ami personnel de monseigneur Charbonneau auquel le Premier ministre Maurice Duplessis faisait bien des misères, disait: «C'est un garçon attentionné, avide de connaître et d'aimer.» À l'église, Michel se remplissait les yeux de tout le décorum, des longues bannières de satin ou de velours, des aubes blanches, des grands cierges qui brûlaient, de l'or qui brillait, des lis blancs: tout le stimulait, le ravissait, le fascinait. Il se sentait enlevé, emporté par quelque chose dont il ne savait pas encore le nom et qui allait dominer sa vie: le pouvoir de l'élégance.

Il faut comprendre qu'en 1950, dans les quartiers modestes de Montréal, l'Église pouvait seule présenter et exploiter un tel luxe, un tel apparat. Même les fleurs naturelles étaient rares. Michel se souvient du poinsettia rouge que le patron de son père leur offrait à Noël, mais surtout des fleurs de papier crépon de toutes les couleurs qui ornaient l'attelage des chevaux tirant les voitures du boulanger et du laitier et décorant l'étal des bouchers au temps de Pâques; si on plaçait une bonne commande, on avait droit à une fleur. Avec la tante Odina, la femme de l'oncle Roland — ils habitaient une petite ferme en plein centre-ville, juste à côté du restaurant *Le Lutin qui bouffe*, où un petit cochon rose se promenait parmi les dîneurs —, il confectionnait des roses de papier; il y mettait toute sa dextérité.

À l'époque, les distractions étaient rares. Il y avait bien sûr les séances de cinéma le samedi après-midi à la salle paroissiale. Deux films, une série et un Zorro qui immanquablement, à la dernière seconde, à la dernière image, ouvrait sa longue cape noire et se préparait à sauter dans le vide... Pour le reste, il fallait inventer ses propres distractions; ça exerce l'imagination.

À l'école, excellent dans les matières qui l'inspiraient, Michel se désintéressait en revanche de celles qui le rebutaient et pour lesquelles, plutôt que de tenter d'obtenir un résultat juste passable, il préférait ne faire aucun effort. À l'anglais, entre autres, il a résisté longtemps. À l'usage d'un idiome trop approximatif, il préférait le mutisme. Ce n'est qu'à Paris qu'il va oser utiliser le peu d'anglais qu'il a tout de même appris.

Plus que par ses succès scolaires, Michel s'illustrait par une manière d'être sociable et bon camarade. Marginal par ses goûts, un peu timide, il savait toutefois parfaitement s'intégrer et ne refusait pas les jeux à condition de gagner. Il excellait dans les imitations (Olivier Guimond lui servait de modèle pour un morceau de bravoure), dansait des heures avec passion et manifestait parfois de curieux sursauts d'audace. On n'a pas oublié rue Laurier le personnage qui, un soir de printemps, descendit l'escalier extérieur en toge romaine fabriquée dans un drap sans couture, spartiates aux pieds et couronne de laurier sur la tête, et se dirigea lentement, aristocratiquement si l'on peut dire, vers l'arrêt du trolleybus Christophe-Colomb qui le conduirait en ville... à la fête de l'École des métiers commerciaux.

Le samedi et pendant les vacances de Noël et de Pâques, adolescent, Michel Robichaud travaillait chez Décorville, aidant à réaliser les différents éléments nécessaires à la décoration des vitrines, à les aménager dans l'esprit de la saison. Il se souvient encore de l'année où, pour la fête des Mères, toutes les vitrines s'étaient couvertes de Maman Alarie, la mère des Plouffe, l'émission qui décrochait les meilleures cotes d'écoute... avec le chapelet en famille de son Éminence. Il n'a pas oublié non plus la crèche de l'église Saint-Stanislas que le curé, monseigneur Deschênes, avait demandée à Décorville. Elle était d'esprit résolument moderne, la neige était évoquée avec des cheveux d'ange, les étoiles du ciel brillaient par la magie de petites lumières et les personnages étaient stylisés, sculptés dans de la mousse blanche.

Puis, comme décidément les études ne l'intéressent guère et qu'il désire travailler de ses mains, Michel se fait embaucher chez Therrien Frères, un imprimeur; il y rencontre Georges Huel, alors directeur artistique de la maison, qu'il retrouvera vingt ans plus tard directeur général du graphisme et du design du COJO lors des Jeux olympiques. Le soir, il suit des cours de décoration à l'École du meuble, des cours de graphisme au Studio 5316. Et puis, il dessine. Il y passe des heures. Il dessine tout: le piano sous tous ses angles, des oranges, les objets les plus divers; il peint d'après des cartes postales, des photos, des images de *Life*. Il fait des portraits qui, avoue-t-il, n'ont aucun succès. Ses personnages sont trop dramatiques et le crayon noir les vieillit. Il s'intéresse peu aux visages, ce sont les vêtements qui déjà le passionnent. Pointilleux sur les détails, il travaille minutieusement le fermoir d'un collier en pierres du Rhin, le tombé d'un drapé, le moiré d'une robe. Incontestablement attiré par la mode, il va finalement se décider; en 1959, à vingt ans, il s'inscrit à l'École des métiers commerciaux, section couture. Dès la première année, Michel Robichaud est élu président de l'association des élèves et dessine la robe d'une reine: beau doublé!

C'était l'École des métiers commerciaux qui, depuis douze ans, concevait et fabriquait la robe de la reine de la radio-télévision, élue chaque année par vote populaire. Celle-ci la portait pour le Gala des Splendeurs qui se tenait au théâtre Saint-Denis; c'était en quelque sorte la Soirée des Oscars québécois. Un matin d'hiver, la reine de cette année-là, la comédienne et animatrice Michelle Tisseyre, se présente à l'École pour choisir parmi les quelque trois-cent-cinquante croquis de robes épinglés sur une dizaine de paravents celui qui lui plaît le plus. Les croquis ont tous été exécutés par les élèves de première et de deuxième année. Généralement, c'est celui d'un élève de deuxième année qui est choisi. Cette année-là, ce sera différent.

La majorité des élèves ont dessiné des robes aux amples jupes, souvent soutenues par de multiples volants de tulle. Michelle Tisseyre choisit un fourreau de satin ivoire entièrement rebrodé, avec une longue traîne détachable. Psychologue, l'élève de première année Robichaud sait bien qu'«une grande femme mince qui a la taille fine veut la montrer». Ainsi va-t-il, modeste, expliquer son prix.

Michelle Tisseyre raconte: «Devant l'abondance des croquis, je fus d'abord affolée. J'ai pensé que je ne parviendrais jamais à arrêter mon choix. Je me suis rendu compte, toutefois, que l'on arrivait assez rapidement à éliminer la majorité des concurrents. Certains ont déjà un style, qui se dégage de l'ensemble des croquis qu'ils ont soumis; d'autres non.»

Le temps passe, les études aussi. Michel a rencontré une charmante brunette au regard clair qui s'appelle Luce. Il devra cependant se séparer d'elle puisqu'il obtient une bourse qui lui permet d'aller à Paris. Il va y former son caractère et s'y forger un métier.

Sera-t-il le grand couturier qu'il espère devenir, développera-t-il une technique accessible au plus grand nombre, imposera-t-il une façon qui lui soit propre de voir l'élégance, définira-t-il un style? C'étaient là sans doute quelques-unes des questions qui occupaient Michel Robichaud, secoué par les vagues, à bord de l'*Homeric* voguant sur la mer. La traversée, sans histoires, préfigure le peu de difficultés qu'entraînera pour ce jeune Québécois le passage d'un continent à l'autre. Lors du rituel bal masqué, il obtient le prix d'originalité pour un costume fabriqué dans de vieux journaux.

Et puis, un matin, vers cinq heures, l'*Homeric* accoste au Havre. «Je tremblais de toutes mes forces quand le bateau s'est enfin arrêté, dans un enchevêtrement de cordages et un brouillard épais troué seulement par quelques lumières éparses. J'entendis alors, dans l'aurore calme et silencieuse: «Eh ben alors! ce bateau a une sale gueule, dis donc!» J'étais en France.»

# 2

# *Paris aller-retour*

Il n'y a pas de vent favorable pour celui qui ne sait
où il va.

SÉNÈQUE.

Le jeune Michel qui met les pieds, un jour de septembre 1960, sur les quais de la gare Saint-Lazare, à
Paris, n'est point Rastignac. Qu'il éprouve l'envie légitime de réussir sa vie, qu'il nourrisse quelque ambition, nul doute. Il est bien loin cependant de lancer à la
face de Paris ce défi: «À nous deux maintenant!» Son
projet intime n'est point d'aller courtiser les riches ni
de prémiditer quelque grand mariage comme le héros
balzacien. Ce jeune homme timide, au teint pâle, au
regard pénétrant malgré sa myopie, a tout à

35

apprendre et il le sait. Provincial d'au-delà des mers, il lui faut se retrouver à travers les rues en étoile de Paris, réapprendre le b.-a. ba des choses: calculer en francs, en métrique, apprendre à utiliser le métro, les jetons de téléphone, s'habituer à dîner à vingt heures, et compter avec la déception des Français: non, son grand-père n'est pas trappeur, il n'habite pas le Labrador et Géronimo, le chef indien, n'est pas son cousin!

On le sent impatient néanmoins de se mesurer aux autres, avide d'éprouver sa valeur. Que sait-il à vingt ans de la vie et du monde? Guère plus que ce que sa famille et ses camarades lui ont appris. Ce fidèle — c'est une caractéristique fondamentale de son caractère — n'éprouve aucune envie d'arracher les racines, de rompre les amarres. Il ne ressent aucune tentation de se rebeller contre son pays, sa culture, sa religion ou sa langue: «Quand je parle pointu, j'ai l'impression de tricher», avoue-t-il. Ce jeune catholique à Paris va chaque dimanche à la messe dans une église différente mais cette assiduité n'a à l'époque rien de bien remarquable; le Québec n'a pas encore délaissé la pratique religieuse.

S'il comprend vite que Paris est le lieu le plus séduisant du monde, il sait aussi qu'il est là pour apprendre et qu'il ne doit pas perdre son temps. Il s'inscrit donc à l'école de la Chambre syndicale de la couture parisienne, rue Saint-Roch, comme l'avait fait Yves Saint Laurent en arrivant d'Oran quelques années plus tôt, comme le fera le Norvégien Per Spook. Cette école fondée en 1904 attire les étrangers désireux d'apprendre les secrets du chic parisien. Michel cherche une pension dans les environs. Il pense même à s'adresser au curé de la paroisse de ce riche quartier Saint-Honoré, selon cette vieille logique québécoise qui veut que le curé connaisse la solution à tous les maux.

Pour parer aux difficultés de la jungle parisienne et résister à la nostalgie, il se compose un refuge calme et secret, fait l'apprentissage de la liberté sous la protection douillette d'une famille qui remplace le cocon familial. Cette famille, québécoise de surcroît, les Paradis-Lefebvre, il la trouve à Montmartre, rue Caulaincourt, au numéro 59. Mais il lui faut user de tout son pouvoir de persuasion pour vaincre les réticences du maître des lieux qui n'est pas certain de vouloir un pensionnaire.

«C'est un charmant jeune homme, plaide Colette, sa femme. Il semble bien tranquille. Et puis, il va pouvoir s'occuper un peu des filles.» Ce dernier argument convainc son mari: pendant un an, Michel va en effet s'occuper des deux fillettes qui étudient dans une école privée, le cours Désir; chaque matin, il va les préparer, les faire déjeuner et les aider à réviser leurs leçons. Elles sont très indisciplinées, ces demoiselles, et il n'est pas question de les brimer en refusant d'exaucer leurs désirs. Lui qui a été élevé dans la rigueur, forcé de faire ce qu'on lui demandait, de ne pas protester, de manger ce qu'il y avait dans son assiette, le voilà confronté à un mode d'éducation plus laxiste qui l'étonne et avec lequel il n'est pas sûr d'être d'accord.

Un après-midi d'octobre, il a pris possession d'une pièce très claire, meublée en style Louis XV, au cinquième étage d'une maison bourgeoise qui deviendra son refuge; on pourrait croire qu'il y a toujours vécu. Son premier geste: accrocher au mur la photo d'une jeune fille brune aux grands yeux rêveurs; c'est Luce. Puis il change les meubles de place, met un grand carré de soie sur sa malle d'étudiant, installe la table où il va étudier mais aussi écrire à ses parents, devant la fenêtre qui ouvre sur la butte Montmartre et le Sacré-Coeur. Fils modèle et attentionné, il écrira chaque semaine pendant les deux années de son séjour parisien des lettres d'une dizaine de pages — elles ont toutes été conservées — où il décrit sa vie à ses parents et raconte son emploi du temps. Il met tout en oeuvre pour leur communiquer ses impressions, ses émotions, pour les aider à imaginer un peu ce qui l'entoure et à être présents du moins par la pensée dans cette Ville Lumière qui ne cesse de le fasciner. Il cherche à traduire l'ambiance de l'instant, glisse dans les enveloppes ticket de métro, coupon de musée, programme de théâtre, tous ces petits riens qui paraissent anodins mais qui, pour ses parents, dans leur logement de la rue Laurier, à Montréal, sont, bien plus qu'un peu d'air de Paris, un peu de leur fils.

Il découvre les bouquinistes des quais de la Seine, les terrasses de café où l'on flâne, les Champs-Élysées, de l'arc de Triomphe à la place de la Concorde; il découvre aussi le prix des choses. Sa bourse d'étudiant, ce n'est pas le Pérou. Il lui faut calculer chaque dépense. Une fois réglés les cours et la pension (les repas du matin et du soir sont fournis), il lui reste sept dollars par semaine. Le midi, il va dans les restaurants d'étudiants où, pour soixante sous, on lui sert des carottes râpées en salade, du boeuf bourguignon, de la crème au caramel et un verre de vin rouge. Il note: «On boit beaucoup en France.» Il s'émerveille de l'apéro qu'il prend chaque soir, avant le dîner, chez les Lefebvre; il raconte «ces dîners tardifs à vingt heures car c'est à midi que l'on déjeune et à minuit, au retour du théâtre, que l'on soupe».

Pour sa première sortie au théâtre, il voit *Électre* de Giraudoux à la Comédie-Française, «dans une loge drappée de velours rouge et ornée de lustres de cristal d'une splendeur inouïe. Chaque loge a quatre places, deux en avant, deux à l'arrière, et est fermée par une porte individuelle. Dans la loge voisine se trouve Charlton Heston, le héros de *Ben-Hur*, le Moïse des *Dix commandements*.» Un autre soir, avec Yvon Lefebvre qui fait des études de mise en scène, il va voir Maria

Casares qui joue dans *Cher Menteur* avec Pierre Bras-
seur. Aiguillonné par son «logeur» qui l'a mis au défi
de se présenter à la loge de Maria Casares, il
s'aventure dans les coulisses et avec un fort accent
anglais demande qu'on lui indique le chemin. Maria
Casares le reçoit avec beaucoup de gentillesse et,
accent anglais oublié, ils parlent pendant une vingtaine de minutes de Montréal où la comédienne a joué
l'année précédente, de Gérard Philippe et d'élégance.
Elle le laisse partir, ébloui, après lui avoir écrit un
petit mot en souvenir.

Michel visite le cimetière du Père-Lachaise où sa
mère, qui lit beaucoup de romans français, lui a fait
promettre d'aller se recueillir sur les tombes des héros
du passé. Cette gigantesque nécropole (elle fait qua-
rante-sept hectares) abrite des hôtes illustres: le mau-
solée d'Héloïse et d'Abélard auprès desquels bien des
amoureux romantiques souhaiteraient être enterrés;
le sarcophage très simple de Molière et celui plus orné
de Jean de La Fontaine; le buste et le saule d'Alfred de
Musset et, quelques allées plus loin, le cénotaphe de
Chopin (malheureusement, George Sand, qui les aima
tous les deux, est enterrée dans sa campagne de
Nohant). On y trouve aussi la tombe très simple de la
grande tragédienne Mademoiselle Georges qui fut
l'amie de Napoléon; celle de Sarah Bernhardt; celle de
Colette; et maintenant celle d'Édith Piaf. Pour sa mère,
Michel prend plusieurs photos; il joint même à son
envoi un plan détaillé du cimetière sur lequel il trace
l'itinéraire de sa visite.

Il fait connaissance avec le côté noir de Paris: la
vie des réfugiés. Il rend visite à une amie québécoise,
Louise D'Amours qui, secrétaire au Théâtre du Nou-
veau-Monde, s'est offert une année parisienne. Elle
habite une chambre de bonne tout en haut d'un vieil
immeuble, rue de Bourgogne, à Saint-Germain-des-
Prés. Par la lucarne de sa chambre, on a vue sur les

toits de Paris; c'est bien le seul côté poétique de cette maison qui n'a même pas d'ascenseur. Comme dans la plupart des édifices parisiens, il faut appuyer sur le bouton de la minuterie pour avoir de la lumière pendant soixante secondes; en Nord-Américain, Michel s'étonne: comment peut-on économiser l'électricité à ce point-là! Pour faire le thé, on va chercher l'eau au bout du couloir car il n'y a pas d'eau courante dans les chambres. En passant, il voit bien que certaines chambres abritent des familles entières, qui hébergent en plus des parents, des amis, transfuges d'Europe de l'Est, du Maghreb, en quête d'un nouvel espoir. Pour eux, c'est la misère totale; assis à même le sol, serrés les uns contre les autres, une couverture sur les épaules, ils partagent un maigre repas à la lumière d'une bougie. Michel est profondément impressionné, choqué.

Dans ses lettres, il parle de tout. Dans l'une, à la manière d'Édouard, le héros de Michel Tremblay, il exprime un étonnement agacé face aux *water-closet*, aux toilettes turques, à la salle d'eau et à son bidet qu'il croit être «une sorte de cuvette avec robinet pour se laver les pieds».

À l'école, il ne perd pas son temps. Attentif mais réservé, il observe tout avec curiosité, perfectionne ce qu'il sait et réétudie patiemment la coupe, le tracé d'un patron, le travail d'une toile, les techniques de couture, de fronces, de plissé, de drapé, tout ce qui va lui permettre de créer avec plus de facilité. S'il lui arrive d'être quatre-vingt-septième sur cent seize élèves en français, il est toujours premier en dessin et généralement parmi les trois premiers dans les autres matières.

Préparé de longue date à réussir, conscient de sa valeur mais discipliné par le milieu familial, il travaille beaucoup et longtemps. «Il dessinait tout le temps, il ne sortait pas souvent», se remémore Colette

Paradis. «Je ne me souviens pas, dit-il, que cela ait jamais été pénible. J'avais même tendance à en faire plus, à soigner minutieusement la présentation de mes travaux. Aujourd'hui, je ne le sais que trop, il faut connaître à fond son métier pour supporter le stress des collections à sortir ou celui du travail en manufacture où l'on ne met pas de gants blancs pour dire les choses; on vous crierait plutôt par la tête.»

Le couturier est à la fois artiste et artisan. Charles-Frederic Worth s'estimait quant à lui «compositeur» de tissu. Bien peu le connaissent et pourtant cet Anglais va transformer la mode, «revendiquer et obtenir pour son métier les privilèges et la liberté du créateur à statut artistique, avec les responsabilités et les gains du chef d'entreprise à gestion bureaucratique qui regroupe en un seul lieu des activités jusqu'alors dispersées». Avant lui, tailleurs et couturières (on en dénombre cent cinquante-huit à Paris en 1850) se rendaient à domicile et les clients leur donnaient instructions et étoffes. En s'installant au numéro 7 de la rue de la Paix, au cours de l'hiver 1857-1858, Worth lance un monde nouveau aux odeurs de luxe qui sera la haute couture.

Worth a su attirer des clientes de marque: la princesse de Metternich, femme de l'ambassadeur d'Autriche, d'un «chic» absolu, lui a amené l'impératrice Eugénie et toute la cour des Tuileries. Il a donné à ses clientes l'habitude de se déplacer pour venir le voir. Il leur proposait des modèles conçus selon son inspiration, avec les tissus de son choix, qu'il ajustait ensuite à leurs mesures. Pour présenter ses modèles, après les croquis-aquarelles, Worth a encore innové en se servant de mannequins vivants, qu'on appelait à l'époque des «sosies», et qui portaient les robes décolletées sur des maillots noirs.

«La robe est une industrie dont la raison d'être est la nouveauté», a dit Paul Poiret, l'éblouissant couturier du début du siècle. Une mode chassant l'autre, les présentations des collections parisiennes battent l'année en deux temps à la façon d'un métronome: automne/hiver, printemps/été, font et défont les réputations. Le jeudi 20 octobre 1960, à quinze heures, Michel Robichaud assiste dans les somptueux salons en enfilade de chez Dior à son premier défilé de haute couture. L'élégante simplicité de ce décor en blanc et gris agrémenté d'innombrables palmiers en pot et éclairé par d'immenses lustres de cristal va le marquer pour toujours.

On a aspergé la moquette de *Miss Dior* et, caché derrière un rideau de velours gris, un atomiseur électrique libère dans l'air les effluves de ce parfum. Les invités, triés sur le volet, sont assis par ordre d'importance sur de petites chaises dorées dont Michel Robichaud cherchera et trouvera les jumelles lorsqu'il installera sa propre maison, avenue des Pins à Montréal. Le personnel, premières vendeuses et secondes vendeuses en petites robes noires et rang de perles autour du cou, voit à tout. Tout au long de l'escalier de vingt-huit marches, elles accueillent les clientes, les placent, leur remettent le programme; elles les rejoindront après la présentation pour noter leurs choix. Un souvenir de lecture tourne dans la tête de Michel. «L'air du salon gardait cette tiédeur odorante, cet encens de la chair et du luxe qui changeait la pièce en une chapelle consacrée à quelque secrète divinité.» C'est de Zola; il parlait de Worth, mais qu'importe...

Les mannequins aux attitudes de divas et à la démarche de prêtresses sont là, devant lui; elles portent la première collection créée par Marc Bohan. Il y a tout juste un mois, il a été nommé directeur artistique de la société Christian Dior et créateur des collections de haute couture. Venu à la couture grâce à sa mère qui était modiste, entré à dix-neuf ans chez le couturier Robert Piguet, passé chez Molyneux qui forma aussi Pierre Balmain, puis en 1954 chez Jean Patou où il fut responsable des collections de haute couture, il était enfin entré chez Dior pour s'occuper de la succursale de Londres d'où on l'avait fait revenir par la suite. Son style élégant et raffiné avait assuré la continuité du travail de Christian Dior, mort le 23 octobre 1957, et dont le dauphin en titre, le jeune Yves Saint Laurent, après avoir produit quelques collections très réussies (sa ligne «Trapèze» a connu un succès foudroyant), avait été appelé sous les drapeaux.

Christian Dior, cet homme qui «exécrait le débraillé» et s'était fixé pour but «d'habiller quelques femmes élégantes de la bonne société», influença des millions de femmes dans le monde entier. Il a été le premier couturier à pénétrer, avec ses mannequins, sous la coupole de la Sorbonne à l'occasion d'une conférence sur «l'esthétique de la mode», dans le cadre des cours de civilisation française. À l'élève qui lui demandait s'il n'était pas chimérique de promouvoir comme il le faisait des signes de luxe et de raffinement, il avait répondu: «Notre mot d'ordre est maintenir, maintenir les traditions de qualité malgré tout, chercher à les intégrer dans le réseau des techniques modernes.» Personne n'y parviendra mieux que lui. Un mariage bénéfique avec Marcel Boussac, roi du coton et grand industriel spécialiste des méthodes administratives et commerciales les plus modernes, a fait de la maison Dior, qui règne à l'angle de l'avenue Montaigne et de la rue François 1$^{er}$, une véritable «usine» de la mode qui comprend plus de mille employés.

Pour l'heure, si l'on en juge par la lettre que Michel envoie à ses parents, il semble bien que Marc Bohan a parfaitement réussi la reprise du flambeau Dior. Les robes du soir rebrodées de pierreries sont superbes. Quant à la robe de mariée portée par Victoire, mannequin vedette, et baptisée *Liaisons dangereuses*, à cause du film de Roger Vadim avec Gérard Philippe et Jeanne Moreau qui fait fureur à Paris, elle est le clou de la présentation. Pour ce qui est du film, que Michel s'est empressé d'aller voir, il l'a trouvé «très osé et, la morale étant ce qu'elle est chez nous, je doute qu'il soit présenté au Québec ou alors tellement censuré que ce ne sera guère plus qu'un court métrage».

Dior a donné le coup d'envoi des collections qui seront présentées chaque jour dans toutes les grandes maisons de couture jusqu'à la Sainte-Catherine, fête des midinettes. Il faut savoir qu'avant 1930, les commissionnaires américains venaient en Europe quatre fois l'an acheter, grâce aux collections (il y en avait alors quatre par année), quelques dizaines de modèles qu'ils avaient retenus pour leurs clientes. À partir de la crise des années trente, le gouvernement américain, pour protéger l'activité de l'industrie nationale de confection, établit un droit de douane de 90 p. 100 *ad valorem* sur les vêtements importés. Mais toiles et patrons, eux, étaient admis en franchise. Il devenait donc possible de tirer une toile à des milliers d'exemplaires et de revendre pour quelques dizaines de dollars une production simplifiée. Rançon du succès de la haute couture parisienne, la copie devient de plus en plus fréquente outre-frontières et plus encore outre-Atlantique.

Si dans certaines maisons de couture les journalistes sont admis lors des présentations de collections, de même que les acheteurs qui paient un droit d'entrée et s'engagent à acheter un certain nombre de modèles, dans d'autres maisons il existe une politique tout autre, les collections étant exclusivement réservées aux riches clientes et à quelques personnes triées sur le volet. Pour les étudiants en couture, il est très difficile d'entrer dans les grandes maisons pour y assister aux défilés; rien n'est simple, et il leur faut montrer patte blanche!

Une porte parmi les plus difficiles à forcer à Paris est celle du grand couturier Balenciaga. Né à Guetaria, au pays basque espagnol, ce fils de pêcheur surnommé «Cristobal le Magnifique» dont la légende veut qu'il ait demandé à la marquise de Casa Torres, qui favorisa ses débuts, l'autorisation de copier les robes qu'elle portait à la messe du dimanche, dominera sa profession par ses exigences, par la dimension qu'il donnera à la couture. «Un couturier, disait-il, doit être architecte pour les plans, sculpteur pour la forme, peintre pour la couleur, musicien pour l'harmonie et philosophe pour la mesure.» Si chez Dior les robes sont exécutées d'après croquis, Balenciaga, lui, travaille dans son tissu comme un sculpteur dans le marbre et, au lieu de proposer aux femmes des costumes pour les cacher, réalise des vêtements pour les mettre en scène.

«Vous pouvez avoir de la fantaisie, des idées, mais ce qui importe c'est la construction d'une robe, explique Hubert de Givenchy qui fut son second et resta son ami. Balenciaga travaillait avec des équerres sur des patrons, avec des points de repère aussi précis que sur une épure.» Il disait: «Quand la charpente est bonne, on peut construire ce qu'on veut.» Pour chacune de ses collections, il faisait lui-même un modèle porte-chance, le coupait, le cousait de ses propres mains.

Parce qu'il n'autorise pas la reproduction de ses modèles dans la presse afin de ne pas être copié, les salons de Balenciaga situés avenue Georges V font penser à une place forte qu'il n'est pas facile d'assiéger, à un couvent très sophistiqué où très peu de gens sont admis, et où les privilégiés sont soumis à la règle d'un ordre strict et au bon vouloir des premières vendeuses vêtues de noir, austères et silencieuses. Pour pénétrer dans ce lieu sacro-saint, il faut se mesurer à la directrice des salons qui se tient à l'entrée et qui vous jauge sans indulgence de la tête aux pieds. Michel, ce jeune homme habituellement réservé et timide, va se révéler là d'une rare audace. On lui dit «non», mais il ne capitule pas pour autant, et revient avec une nouvelle histoire.

Pour Balenciaga, il a longtemps mijoté son coup. Il se présente comme Canadien (ce qu'il est), fils d'un important marchand de fourrures (ce qu'il n'est pas); son père, dit-il, lui a recommandé de profiter de son séjour à Paris pour assister à une présentation de Balenciaga, et il ne voudrait pas lui désobéir. On le laisse entrer; il s'assoit. Dans le silence défilent les mannequins, corps basculé vers l'arrière, tenant dans la main droite un numéro. Il n'a pas assez d'yeux pour emmagasiner tant de perfection. La tête lui tourne. Lorsqu'il redescend dans l'ascenseur entièrement tapissé de cuir de Cordoue, la directrice lui glisse gentiment à l'oreille qu'elle n'a pas été dupe de sa petite histoire: son mensonge était vraiment cousu de fil blanc, mais il était si gentil...

La couture est un monde fermé où l'on dit «nous» de la dernière apprentie au patron en passant par les modélistes, les premières, les vendeuses et les coupeurs. Un monde par lequel il faut se faire adopter si l'on veut y faire carrière. Tous les ans se célèbre, au dernier jour des présentations de collections — ou le lendemain mais toujours un 25 novembre —, une fête assez semblable à ces initiations de carabins, à ces chahuts d'étudiants où l'on oublie durant une journée la rigueur du travail. C'est la Sainte-Catherine, fête de la patronne des midinettes qui ont vingt-cinq ans et n'ont pas encore trouvé mari. Cette année-là, Michel est invité chez Dior par un camarade de classe qui a réussi à se procurer deux invitations.

Pendant des semaines les catherinettes, ainsi que celles qui ne le sont plus et celles qui ne le sont pas encore, préparent la décoration des ateliers. Décoration et costumes sont si réussis qu'on s'étonne et s'émerveille qu'elles les aient exécutés par leurs propres moyens. Véritables tableaux vivants et scènes de music-hall se succèdent à travers les ateliers: l'un représente une place espagnole, un autre des danseuses en tutu dans la forêt du *Lac des cygnes*, un troisième un immense écran de télévision d'où semblent sortir les vedettes de l'heure, un quatrième évoque l'enfer avec un Lucifer «à faire mourir de peur un cardiaque» (décrit Michel dans une lettre), et ainsi de suite. La fête commence par le concours des bonnets jaunes et verts aux couleurs de la Sainte-Catherine, que portent les héroïnes du jour. Ce sont d'extraordinaires chapeaux, des échafaudages incroyables, des prouesses d'adresse, des trouvailles étonnantes. Les gagnantes se voient offrir en cadeau par le patron des parfums maison et de délicates enveloppes, et le couturier qui habituellement ne porte pas attention à elles les embrasse affectueusement.

Ce jour-là, repoussées dans un coin, les machines à coudre sont remplacées par un tourne-disque et l'on danse jusqu'à épuisement. Michel a le sens du rythme et entraîne tour à tour chaque jeune femme dans un rock débridé; pour le remercier, elles lui chantent, en choeur, *Ma cabane au Canada*. Il n'oubliera pas cette soirée magique, ce tourbillon de gaieté qui lui a donné, pour la première fois, l'impression d'appartenir au monde de la couture. C'est cette fête que, revenu au pays, il voudra rééditer dans sa propre maison; il le fera d'ailleurs à plusieurs reprises avec succès. On s'y amusera beaucoup et les journalistes ravis s'en feront l'écho.

Pour l'heure, Michel flâne, il hume les vents de Paris. Il marche des heures, va dans les musées où son regard apprend à choisir. Il découvre Watteau, peintre ensorcelé par la toilette, à l'élan gracieux et à la fraîcheur désinvolte qui, à la vérité, n'a pas inventé la robe froncée associée à son nom. C'est cette même magie que Michel, quelques années plus tard, ranimera dans une robe pour Luce que choisira également Suzanne Lapointe. Il admire Ingres dont la galerie de portraits de la haute société féminine du XIX$^e$ siècle est un témoignage essentiel sur le costume. À la même époque, Baudelaire, attentif à la valeur artificielle et magique de la mode, n'a-t-il pas déclaré: «Quel poète oserait, dans la peinture du plaisir causé par l'apparition d'une beauté, séparer la femme de son costume?»

L'influence de la peinture va d'ailleurs conduire Michel à des associations de couleurs étonnantes, à des croisements chromatiques hardis qu'il exploitera plus tard dans ses collections: violets profonds et verts émeraude, roses dragée et bruns cuivrés.

Très doucement, Paris forme le caractère de Michel Robichaud, lui fournit ses premières armes, forge son métier. La ville favorise une rencontre qui deviendra décisive bien des années plus tard. Un camarade de classe, Jacques Brunel, très bon chic bon genre, devient le meilleur copain français de Michel.

Dans sa chambre, penché sur ses travaux, Michel compose une garde-robe pour une actrice en voyage comme le commande un devoir trimestriel. Il choisit Monica Vitti, la star blonde du cinéma italien, à la fois dramatique et piquante; Jacques Brunel, lui, préfère Ludmilla Tcherina, grande femme très brune, élégante et sophistiquée, qui fut danseuse étoile avant de devenir peintre. Ils sont différents, mais déjà complémentaires; pour un autre exercice scolaire sur la peinture, ils optent tous deux pour la poétique cubiste, Michel choisit Picasso dont il aime l'élan alors que Jacques jette son dévolu sur Braque à la ferveur souveraine.

L'automne suivant, amorçant une deuxième

*Tempête,* le cheval des Robichaud
(Photo Virginia Leming)

La ferme ancestrale des Robichaud
(Photo Robichaud)

*Mai 1954/Montréal* — Église Saint-Stanislas. Michel Robichaud, enfant de choeur.
(Photo Robichaud)

*Mai 1946/Montréal* — Paroisse Saint-Stanislas. Première communion. «N'est-ce pas qu'il est beau notre bébé!»
(Photo Robichaud)

*Septembre 1960* — Montréal-Le Havre. Transatlantique *Homeric*. Départ pour la France. Pendant la traversée avec Bob Normand et son épouse.
(Photo Sergio Godognato)

*25 novembre 1961/Paris* — Fête de la Sainte-Catherine dans un atelier de la maison de couture Nina Ricci.
(Photo Studio Wilfrid Durry)

*Novembre 1960/Paris* — Studio Harcourt. Michel se fait photographier par le studio des vedettes...
(Photo Studio Harcourt)

*Février 1963/Montréal* — Place Ville-Marie, complexe construit la même année. De droite à gauche: Dr Alfred Lavallée, Michel Robichaud, Victorio Fiorucci (photographe), Johanne Harelle (mannequin).
(Photo Victorio Fiorucci)

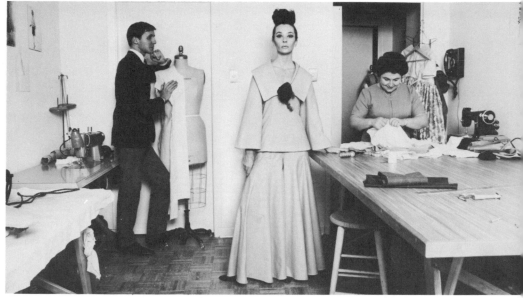

*Novembre 1963* — Jacqueline Gilbert porte, dans l'atelier de couture de l'avenue des Pins, un ensemble pantalon en coton rose spécialement créé pour la promotion du coton à travers le Canada. Solange Spillman, première d'atelier, prépare une toile pour essayage.
(Photo Henry Koro)

*ût 1963* — Johanne Harelle, mannequin vedette de Michel Robichaud, porte un
:semble de la collection haute couture automne-hiver 1963-64 en broché de soie
n et en jersey de laine vanille.
oto Robichaud)

*Hiver 1961/Paris* — Luce et Michel, deux ans avant leur mariage.
(Photo Henri Glaeser)

*24 avril 1985/Montréal* — Hôtel Le Quatre Saisons. Soirée d'ouverture du nouveau restaurant et inauguration du club «Le Cercle» dont Michel Robichaud est le premier membre honoraire.
(Photo Sylvain Giguère)

1964/Montréal — Luce et Michel Robichaud dans leur salon de haute couture sur
avenue des Pins.
(Photo *La Presse*)

*Juin 1966* — Dans les salons de France-Canada à Paris, Lise Carreau présente
devant madame Nina Ricci (turban blanc) et une assistance choisie une robe en soie
et en laine rose cendré.
(Photo Bernard Cormerais)

Juin 1966/Aéroport d'Orly, France — Arrivée de Michel Robichaud et de son
entourage, pour une présentation de ses modèles qui le mènera successivement à
Paris, Londres, Milan et Bruxelles.
(Photo Dalmas)

*Juin 1966* — Nicole Deslauriers, entourée de deux gardes de la Tour de Londres, porte un manteau redingote en lainage vert et bleu. Le chapeau est en paille d'Italie, d'un vert assorti à celui du manteau.
(Photo Robichaud)

*Été 1965* — Denise Pelletier, cliente et amie de Michel, porte un ensemble haute couture Michel Robichaud, pour sa présentation à la reine Elizabeth II, lors de l'inauguration du Centre national des arts d'Ottawa.
(Photo Robichaud)

*Février 1973/Montréal* — La maison Robichaud fête ses dix ans de carrière. De gauche à droite: Denise Pelletier, Michèle Bussière, Michel Robichaud, Luce Robichaud.
(Photo *La Presse*)

*Juin 1973/Montréal* — Rue Crescent, pour Alexandra Stewart, Michel Robichaud crée
une dizaine de modèles pour les besoins du film *The Heat-wave Lasted Four Days*.
(Photo Robichaud)

*Juin 1973/Montréal* — Rue Crescent, madame Louise Simard-Massicotte, cliente et
amie, est venue avec son mari rencontrer Alexandra Stewart. La vendeuse de la
boutique, madame Fiquet, à côté de Michel, porte un toast au succès du film.
(Photo Robichaud)

té 1974/Montréal — Chantal Gagnon, en Robichaud, se détend quelques instants
vant une présentation dans la boutique de la rue Crescent.
Photo Alain Rinfret)

*1973/Montréal* — Lancement du parfum *Brunante* de Michel Robichaud, premier parfum à porter le nom d'un couturier canadien. De gauche à droite: Chantal Gagnon, Michel Robichaud, Véronica Redgrave et Marie Delage.
(Photo *La Presse*)

*Février 1983/Montréal* — Vingtième anniversaire. Parmi les invités nous retrouvons les mannequins vedette de Michel Robichaud: (de gauche à droite) Rudy, Oksana, Monique, Brigitte et Chantal.
(Photo Michel Gontran)

*n 1980/Montréal* — Yvette Brind'Amour, amie de Michel, lors du lancement des
ntres MR. Marraine de celles-ci, elle coupe un gâteau en forme de montre.
oto Robichaud)

*Février 1981/Montréal* — Luce et Michel Robichaud présentent à leur amie Suzanne Lapointe la pochette des nouveaux foulards Michel Robichaud.
(Photo Robichaud)

*Août 1983/Montréal* — Hôtel de la Montagne. Conférence de presse pour annoncer le Gala-Mode du Téléthon des Étoiles auquel Michel Robichaud donne son appui.
(Photo Jean Allen, *La Presse*)

*Avril 1980/Montréal* — Au Ritz-Carlton, Michel Robichaud présente ses collections automne-hiver. Le maître de cérémonie, Albert Millaire, est ici avec le mannequin Lesley Rae qui porte une fourrure de la collection.
(Photo Robichaud)

*Février 1986/Montréal* — Lancement de la nouvelle collection de chemises et de tricots pour hommes avec la compagnie Arrow Canada. De gauche à droite: Jojo Baudains, Michel Robichaud, Diane Juster et François Odermat.
(Photo Québecor)

ars 1981/Montréal — Michel Robichaud présente à madame Corinne
té-Levesque un ensemble deux-pièces de prêt-à-porter, après la présentation de
collection.
hoto Robert Nadon, *La Presse*)

ût 1987/Montréal — Au Reine Elizabeth, participation de Michel Robichaud à un
filé bénéfice pour le Centre hospitalier Maisonneuve-Rosemont. De gauche à
oite: Yolande Cardinal (coordonnatrice du défilé); Jeannine Roy (responsable de
vénement), Michel Robichaud et madame Robert Bourassa (présidente d'honneur).
hoto Robichaud)

*Juillet 1981/Montréal* — Dans les bureaux de la rue Crescent, Michel Robichaud et son directeur du marketing, Jacques Brunel, discutent du concept des nouveaux uniformes de Via Rail Canada.
(Photo *Commerce*)

*21 septembre 1984/Montréal* — Place des Arts: Michel Robichaud est élu président du conseil d'administration et président du conseil exécutif du Nouveau Centre de Promotion de la Mode de Montréal. De gauche à droite: Rodrigue Biron (ministre de l'Industrie et du Commerce), Jean Drapeau (maire de Montréal), René Lévesque (Premier ministre du Québec) et Michel Robichaud.
(Photo Québecor)

*...rier 1983/Montréal* — Vingt ans de mode, cela méritait bien un gâteau...
(*...oto Len Sidaway, The Gazette*)

*Février 1983/Montréal* — Luce et Michel Robichaud reçoivent leurs invités pour les vingt ans de la maison.
(Photo Michel Gontran)

*1986/Montréal —*
el Le Centre Sheraton: gala masqué
les Grands Ballets Canadiens.
el et Luce Robichaud.
to Robert Mailloux, *La Presse)*

*écembre 1984/Montréal —* Soirée Gala pour Radio-Canada. Luce et Michel
obichaud.
Photo Gilles Lafrance, Québecor)

*Automne 1974/Montréal* — Place Ville-Marie: Georges Huel, directeur général du Graphisme et du Design du COJO, en compagnie de Léo Chevalier, de Marielle Fleury, de Michel Robichaud et de John Warden, les quatre créateurs de la mode olympique 1976.
(Photo COJO)

*Hiver 1984/Québec* — Membres du jury du Concours du costume officiel Québec 84. De gauche à droite: Francine Lortie (présidente du jury), Michel Robichaud, John Warden, Léo Chevalier et Marielle Fleury.
(Photo Louise Bilodeau, Québec 84)

*eptembre 1985/Montréal* — À l'Hôtel Le Quatre Saisons, présentation de la
ollection printemps-été 1986 de Michel Robichaud.
Photo Len Sideway, *The Gazette*)

*ctobre 1987/Toronto* — Membres du jury de «Miss Canada Pageant». Nous
connaissons Michel Robichaud à la gauche de la gagnante.
Photo Miss Canada Pageant)

*Mars 1987/Montréal* — Radio-Québec, émission *Droit de Parole*. De gauche à droite, debout: Michel Robichaud, Claude Quenneville, Guy Deshaies, Richard Garneau, Danielle Dorice, Daniel Bertolino et Michel Tremblay.
De gauche à droite, assis: Lilian Rayson, René Lévesque et Claude Corbeil.
(Photo Luc Simon Perrault, *La Presse*)

*tobre 1986/Jarnac, France* — Photo officielle de Michel Robichaud, nouveau
mbre de l'Ordre de Napoléon, devant les Principes de l'Ordre.
oto Courvoisier)

*Septembre 1987/Montréal* — Lancement des «Rouges Robichaud».
De gauche à droite: Jacques Brunel, Diane Juster, Michel Robichaud.
(Photo Sylvain Giguère)

*Septembre 1987/Montréal* — Lancement des «Rouges Robichaud».
De gauche à droite: Angèle Arsenault, Pierre Péladeau, Michel Robichaud, Roger D.
Landry et Benoît Marleau.
(Photo Sylvain Giguère)

*...ptembre 1987/Montréal* — Lancement des «Rouges Robichaud». De gauche à
...ite: Jacques Boulanger, Louise Deschatelets, Michel Robichaud et Roger D.
...ndry.
...oto Sylvain Giguère)

*1er mars 1988/Montréal* — Michel Robichaud fête ses vingt-cinq ans de métier aux Cours Mont-Royal. De gauche à droite: Michèle Bussière, Michel Robichaud, Nicole Deslauriers et Jean-Claude Poitras.
(Photo Pierre Roussel)

*1er mars 1988/Montréal* — Michel Robichaud fête ses vingt-cinq ans de métier aux Cours Mont-Royal. De gauche à droite: Marie Chevrier-Gervais, Michel Robichaud, Richard Gervais et Luce Robichaud.
(Photo Pierre Roussel)

année de vie parisienne, Michel s'installe dans une pension de famille. En effet, par les Lefebvre chez qui il résidait, il a rencontré une famille française, les Pinget, lesquels ne vivent pas exactement à Paris mais dans la proche banlieue, à Choisy-le-Roi, en bordure de la Seine. Choisy a une histoire. Mademoiselle de Montpensier, la Grande Mademoiselle, la soeur du Roi-Soleil, s'y fit construire un château. La gloire de Choisy remonte cependant à Louis XV qui, en 1739, fit agrandir le château existant et en fit construire un autre par Jacques-Ange Gabriel. De tant de splendeur royale, il ne reste aujourd'hui que des grilles majestueuses et l'ancien pavillon du roi devenu commissariat de police.

Les Pinget, qui font partie de la bourgeoisie bien-pensante, tiennent pension pour éponger quelque peu les frais énormes que leur occasionne l'entretien d'une grande maison de style Napoléon III, qui se dresse au centre d'un grand et beau jardin. Monsieur Pinget, qui est ingénieur chez Rhône-Poulenc, a un caractère velléitaire — on le surnomme Yia-Ka d'après une de ses expressions favorites; madame Pinget est une maîtresse femme. Ils ont pour voisin direct Maurice Thorez, le chef du parti communiste, qui harangue les foules dans les meetings de la Mutualité, mais ils ne le fréquentent pas: on n'est pas du même bord. C'est plus qu'un mur qui sépare les deux familles, c'est toute une culture, toute une conception de la vie.

Le dimanche, le déjeuner dure des heures et se termine toujours par un discours du maître de maison, suivi d'airs d'opéra joués au piano par le cousin, et clos par l'inévitable partie de pétanque dans le jardin.

La maison des Pinget est une maison animée. Aux trois enfants s'ajoutent les pensionnaires venus des quatre coins du monde: on est facilement seize à table. Il y a là un mystérieux guatémaltèque qui se révélera plus tard être un agitateur politique, des étudiants vietnamiens, un Iranien que la visite du shah et de Farah Diba, venus inaugurer l'exposition «7000 ans d'histoire en Iran», émouvra beaucoup comme d'ailleurs toute la France qui se souvient que l'impératrice a fait ses études à Paris; il y a encore des Américains et Michel, seul Canadien, qui leur chante avec l'accent d'ici *Le Rapide blanc* et *En Veillant su' l'perron...*

La famille Pinget assure à Michel plus que le gîte et le couvert: elle lui offre la chaleur d'une famille. Madame Pinget, Élisabeth, est l'âme de la maison. C'est une grande femme corpulente. Originaire de l'Est de la France, sa famille a connu de très beaux jours; petite fille, elle avait son manteau de vison blanc et ne voyageait en train que dans un wagon spécial réservé à sa famille. Celle-ci ayant converti en bons russes les profits de la vente de l'Hôtel Lutétia, véritable palace parisien, elle se retrouva du jour au lendemain quasi ruinée. Mais cette femme a des ressources de coeur étonnantes. Elle compte pour beaucoup dans l'ambiance chaleureuse, fleurant bon la bohème, de cette belle maison. Des tourterelles roucoulent dans une cage près de la verrière du grand salon et il y a des cages à lapins au fond du jardin.

Bernadette, l'aînée des filles Pinget, est l'amie de Michel et de Jacques depuis l'année précédente. Elle travaille comme secrétaire de direction dans un bureau situé près de l'école Saint-Roch; ils vont souvent la retrouver le midi et ils déjeunent tous les trois au self-service du boulevard des Capucines. Michel lui dessine une robe en satin duchesse turquoise pour le réveillon du nouvel An; il coud aussi une robe en flanelle grise pour madame Pinget. S'étant fabriqué lui-même une veste en tissu marine gansée de noir, il en réalise une semblable pour un pensionnaire américain qui la lui paie 24 $. «Le tissu m'a coûté 8 $ et je l'ai terminée en une journée», explique-t-il dans une lettre à ses parents. Ce qui lui permettra de se payer ce manteau de loden vert, sa couleur préférée, pour lequel il a perdu la tête.

Pour se faire un peu d'argent de poche, il vend aussi des croquis. Un couturier espagnol lui en prend une trentaine; la directrice de l'école Saint-Roch, madame Amblard, lui en commande plusieurs pour elle-même. Elle l'a d'ailleurs assuré qu'étant l'un de ses meilleurs élèves, il sera placé à la fin de l'année scolaire. Mais la vérité est tout autre. De retour de Montréal, où il est allé passer les vacances d'été, il va devoir frapper inutilement à beaucoup de portes. Il se rend vite compte qu'il n'est pas vraiment prêt à être dessinateur ou modéliste, et que la meilleure façon d'apprendre un métier est de commencer à la base, sur le terrain.

Les rudiments techniques de la couture, c'est chez Nina Ricci qu'il sera amené à les mettre réellement en pratique. Engagé en atelier, il est le dernier venu et on lui remet tout ce qui est sans intérêt, tout ce qu'on n'a pas envie de faire et qui est souvent assez pénible. Les vêtements lui arrivent coupés, livrés en ballot. Il lui faut remettre les morceaux à plat, recomposer le manteau, l'entoiler, le bâtir, l'assembler, installer le col afin qu'il soit fin prêt pour le premier essayage; il en faudra généralement trois avant que le vêtement soit terminé, prêt à être livré. Une de ses premières pièces est un manteau du soir pour Élodie, la première femme de Jean-Paul Belmondo. Avec l'innocence de ses vingt ans et l'audace du Nord-Américain qui ignore toutes les servitudes de la hiérarchie, il s'impose. Pour lui rendre la tâche moins ingrate, on le charge, au moment de la présentation des collections, de s'occuper des accessoires que portent les manne-quins.

Nina Ricci occupe depuis 1932 trois étages au numéro 20 de la rue des Capucines. Les vieilles maisons parisiennes offrent la particularité d'ouvrir non pas sur la rue mais, une fois passée la porte cochère, sur une cour intérieure parfois agrémentée d'un petit jardin; ce sont les secrets de Paris. Chez Nina Ricci, on entre par un grand porche et l'ascenseur de droite conduit directement aux salons privés. Pour présenter une collection, les mannequins successivement se placent sur une estrade, descendent quelques marches et défilent gracieusement dans les salons à travers la clientèle. En période de préparation de collection, des draps blancs sont posés sur toutes les fenêtres des salons afin d'éviter les indiscrétions de la presse, les mannequins se promènent sous des housses blanches dans les couloirs et, d'un atelier à l'autre, on ignore ce que chacun fait. Chez Nina Ricci, on se souvient encore du succès éclatant remporté l'année précédente par les collections de Jules-François Crahay, modéliste de la maison, qui a créé la totalité des modèles; cette saison, il devra faire encore mieux. Crahay, qui dessine également la collection de prêt-à-porter, se spécialise dans le structuré, le construit; il fait des basques de tailleur comme personne. Michel n'arrête pas d'apprendre.

Tous les jours, il prend le train qui le mène à la gare d'Orsay au coeur de Paris. Il est parmi les derniers à traverser le pont Solférino qui rejoint le Jardin des Tuileries et qui sera démoli quelques mois après. Par beau temps, on peut penser qu'il pousse jusqu'à l'extrémité des jardins vers l'Orangerie où des salles entières sont consacrées à Monet et à ses Nymphéas, dont il aime la dimension humaine et la belle lumière.

Le plus souvent, il traverse vite la rue de Rivoli, jette un coup d'oeil aux arcades, et prend la rue de Castiglione, la rue Saint-Honoré et la rue de la Paix jusqu'à la rue des Capucines. Parfois il s'arrête sur l'octogonale Place Vendôme pour admirer l'ordonnance des façades de style corinthien. Pour changer d'itinéraire, il passe au sud de la rue de Rivoli par la rue du Mont-Thabor où mourut Musset. Ce quartier est le royaume du luxe. Des commerces défilent devant ses yeux éblouis: mode, joailliers, antiquaires, grands coiffeurs, vendeurs de tissus somptueux, malletiers et parfumeurs. Pas de doute, le jeune homme pressé qui traverse l'élégante rue Saint-Honoré ne pense pas à l'histoire de France, à celle des condamnés à mort qui y passaient pour aller de la Conciergerie à la Concorde où était dressée la guillotine; le présent a complètement occulté le passé.

Au printemps suivant, adoptant approximativement le même itinéraire, Michel entre comme dessinateur chez le couturier Guy Laroche dont la maison est située au numéro 29 de la rue Montaigne.

Fils d'un hôtelier de La Rochelle, Guy Laroche, qui a travaillé chez Jean Dessès puis avec les Américains, vient de quitter l'avenue Franklin-Roosevelt où, depuis 1957, il occupait un minuscule local qu'il appelait lui-même «la plus petite des maisons de couture». Il vient à moto avenue Montaigne; sa boutique ivoire et or est au rez-de-chaussée et ses salons, au deuxième étage; au premier étage de cet hôtel particulier se trouve le joaillier Harry Winston qui a également boutique sur rue. Tandis que Guy Laroche habille les femmes les plus élégantes du monde comme l'actrice Elsa Martinelli et Jacqueline de Ribes, Harry Winston, lui, accroche à des montures quasi invisibles les plus belles pierres du monde qui brillent le soir au cou de ces belles dames.

Laroche a remis à la mode les tuniques perlées inspirées des robes 1925. C'est aussi l'auteur de la robe à dos bénitier dont Mireille Darc est somptueusement dévêtue dans le film *Le Grand Blond avec une chaussure noire*. Cette année-là, sa mode est légèrement évasée; les vêtements restent près du corps sans le mouler, la taille est peu marquée; le soir, elle se dessine cependant assez haut au-dessus des hanches.

Si, chez Nina Ricci, l'expérience de la fabrication a été importante pour Michel Robichaud, celle qu'il a acquise auprès de Guy Laroche va se révéler aussi essentielle. «Je préparais des esquisses et des croquis pour lui après qu'il eut déterminé la silhouette qu'il voulait donner à la femme cette saison-là. Je participais à l'élaboration des modèles, assistais à l'essayage des vêtements, surveillais la confection de chacun d'eux et le choix des accessoires les accompagnant. C'était un travail fascinant. Habitué au système américain, Guy Laroche accordait à ses assistants des responsabilités qu'il aurait été impensable de leur confier dans d'autres maisons beaucoup plus traditionnelles. Outre la préparation de la collection, j'ai travaillé aussi à une garde-robe pour Leslie Caron dans un film de René Clair tiré des *Fables* de La Fontaine.»

Ses «apprentissages» vont donc déterminer pour ce brillant débutant quelques options esthétiques essentielles et l'urgence d'un style qui sera fait d'un raffinement au discret lyrisme. L'une et l'autre de ses expériences vont d'ailleurs être pour Michel Robichaud une subtile leçon de distinction et de sobriété dont il se souviendra lorsqu'il ouvrira à Montréal sa propre maison de couture. Pour l'instant, il s'arrête parfois pour rêver dans le Jardin des Tuileries. Il prend une chaise, s'assoit, une dame s'avance: «C'est cent sous.» Quoi? Oh pardon! Michel a oublié qu'ici, pour poser ses fesses sur une chaise de square et simplement penser à la douceur des choses, il faut payer sa place! Paris est image, la mode aussi. Dans sa tête se succèdent des fragments d'idées impossibles glissant sans cesse en tous sens. A-t-on jamais calculé le nombre exact d'images/seconde défilant sur l'écran des songes?

L'avenir... Michel Robichaud a déjà choisi son destin; il va aller calmement et sûrement au bout de ses désirs, de ses aspirations. Un signe dans le temps l'indique. Chez Harcourt, le photographe très parisien des stars de l'écran, il fait tirer son portrait. Ainsi son visage surgit de la pénombre entouré du célèbre halo qui a fait la réputation d'Harcourt. Il est enfin ce jeune homme aux traits réguliers à qui s'adresse parfaitement cette réflexion du pilosophe Alain:

> Pour juger un jeune homme, prendre d'avance son tirant d'eau et pressentir sa destinée, il ne faut regarder ni son front ni même l'arête du nez, mais le saillant du menton qui indique l'obstination, qualité sans laquelle les autres dons se dissipent et qui peut les suppléer presque tous par la patience et la persévérance.

# 3

# 1400, Avenue
# des Pins

La mode... ce n'est pas un amusement mais une passion, parfois si violente qu'elle ne cède à l'amour, à
l'ambition, que par la petitesse de son objet.

LA BRUYÈRE.

Quand on naît dans un pays, on se reconnaît en lui. À son retour à Montréal, Michel Robichaud est déterminé à réussir. Il a dans son jeu trois cartes qu'il va jouer en maître: une formation acquise sur le meilleur terrain du monde, l'habitude du travail précis, méticuleux, intense et la volonté farouche de réussir.

Ce conquérant de vingt-trois ans sait exactement ce qu'il veut faire: lancer une mode, construire une griffe et d'abord avoir sa propre maison de couture. Être à la fois l'auteur, le metteur en scène, le décorateur et, plus ou moins, le producteur de la «pièce» dont il va frapper les trois coups. Pour l'instant, producteur, il le serait plutôt moins que plus. Pour faciliter le démarrage de son entreprise, il va en effet devoir obtenir un soutien financier.

Quelques jours après son retour à Montréal, grâce à Luce, sa future femme, il rencontre le docteur Lavallée. Cet urologue original terriblement doué et tout aussi travailleur cherche à investir non pas dans la peinture comme son confrère, le pédiatre Paul Dagenais-Pérusse, mais dans la couture, sans doute parce que madame Lavallée a appris le dessin de mode à New York et qu'ils savent l'un et l'autre ce qu'il convient d'admirer, ce qui vaut d'être soutenu.

Amateur de danse, le docteur a déjà parrainé le Studio de Charlotte et Jean Durand; il a envie d'une nouvelle aventure. Cet homme érudit, drôle, sans prétention, aime vivre dans les milieux où il se passe quelque chose. Il a déjà interviewé quelques dessinateurs de mode mais il n'est pas satisfait: leur expérience et leurs croquis ne l'impressionnent guère. Luce lui parle de Michel; il le convoque à son bureau un jeudi vers minuit (ce diable d'homme travaille toujours très tard). Stupéfait de la jeunesse de son visiteur, le docteur Lavallée est néanmoins conquis; il croit d'emblée à son talent. «C'est simple et chic, moderne, commente-t-il alors. Si cela plaît à ma femme, je suis d'accord.» Madame Lavallée est aussitôt séduite; elle s'habillera en Robichaud pendant des années avec un plaisir sans cesse renouvelé, et elle gardera précieusement ses robes comme son mari le fait de ses tableaux: des Dallaire, des Riopelle, des Fortin de la période grise.

Le docteur Lavallée prend donc en charge le couturier débutant, qu'il appelle familièrement

«Michou». Jouant les mécènes, il paie tout, règle toutes les factures jusqu'à ce que l'affaire roule d'elle-même; c'est comme un prêt sans intérêt. Le jeune homme n'a qu'à se présenter à son bureau ou à l'hôpital et, entre deux examens, deux opérations, le docteur sort son chéquier: «Combien?»

«Et je trouvais ça normal!» s'étonne aujourd'hui Michel Robichaud, car si la plupart des gens ne parlent que de leurs mérites, il reconnaît que la chance a joué un grand rôle dans sa vie. Vingt-cinq ans plus tard, le docteur Lavallée, ne regrettant rien, se dit «honoré de l'avoir aidé, content d'y avoir cru. Michou a fait beaucoup pour la mode québécoise et canadienne. Il s'est toujours comporté comme un gentilhomme. C'est un vrai monsieur et un grand couturier.»

Pour l'heure, le docteur Lavallée et Michel vont grimper avenue des Pins, dans le quartier chic, tout près de la maison art déco d'Ernest Cormier qu'habite maintenant Pierre Trudeau, l'ex-Premier ministre du Canada. En décembre 1962, le jeune Robichaud installe ses bureaux, l'atelier de couture, le salon de réception et son appartement au onzième étage d'un immeuble moderne. De ses fenêtres, il domine la ville; c'est pour l'instant l'unique tableau qu'il peut s'offrir mais c'est aussi le plus magnifique. Appartement et maison de couture, tout sera peint en gris, les boiseries en blanc et or, la moquette sera gris anthracite, les meubles de style Louis XVI. L'oeil ne s'attarde pas sur un détail parce qu'il s'accroche à tout.

Parce que la technique est la base de la haute couture, Michel Robichaud engage trois couturières bardées de références et entièrement dévouées dont madame Spillman, qui travailla chez Chanel. Plus tard, Marie-Josée Sénécal, avec qui Michel a étudié aux Métiers commerciaux, viendra s'ajouter à l'équipe. Les tissus, Michel les achète carré Philips,

chez Bianchini qui vend les plus beaux, les plus originaux, les plus soyeux et où monsieur Cadot, vendeur
aux grandes connaissances techniques et sociales, le
conseille judicieusement.

De ses doigts agiles sort une première collection
de printemps: treize modèles qu'il présente le
13 février 1963. C'est Luce, aidée de Denyse Saint-
Pierre et de Maurice Brault, qui a dressé la liste des
invités. Ils sont assis le long des murs, sur des petites
chaises dorées comme dans les salons de couture parisiens. Raoul-Jean Fourré, le président fondateur de
l'Association des Couturiers canadiens, toujours gentleman, a accepté d'assister à cette présentation. En
un après-midi, Michel Robichaud, ce grand jeune
homme mince, élégant, réservé et tranquillement sûr
de lui, établit sa supériorité. Le style Robichaud entre
dans l'histoire de la mode québécoise.

La mode québécoise et canadienne à cette époque
se limite à un petit nombre de créateurs. Raoul-Jean
Fourré est le spécialiste incontesté des robes de soirée;
sa mode luxueuse est réservée aux grands mariages,
aux belles réceptions. Son assistant, un jeune Français nommé Jacques de Montjoye, tiendra boutique rue
Crescent et créera également des modèles avant de
devenir professeur au cégep Marie-Victorin. Au début
des années soixante, il y a encore Marie-Antoinette,
France Davis et l'excentrique Mario Di Nardo.

France Stewart exerce ses talents à Ottawa,
Rodolphe à Toronto et Olivia à Hamilton. Marie-Paule,
la mère de la comédienne Patricia Nolin, a son atelier
dans le Vieux-Montréal d'où elle dessert une clientèle
d'affaires que n'effraient pas son franc-parler et son
efficace agressivité. Enfin, il y a Marielle Fleury qui
fait des vêtements à partir d'étoffes tissées par des
artisans.

Dès le coup d'envoi, Michel Robichaud met
l'accent sur des vêtements de jour, se «spécialise dans

des choses simples, des choses sobres qui ne se démodent pas avec les années parce qu'elles s'inspirent des plus pures traditions». Retenue, bien tempérée, sa mode est le fruit d'une synthèse sage et réfléchie, fidèle en cela à cette réflexion de Pierre Balmain mettant en garde contre l'écueil que constitue tout essai décoratif exagéré: «Si au cours d'un essayage une robe ne tient pas le coup, mieux vaut la détruire. Aucun volant, aucun accessoire, aucune fioriture ne la sauvera jamais. Voilà mon credo.»

Les journalistes acclament en bloc cette première collection. «Elle révèle un goût sûr et une réelle maîtrise dans la coupe, juge Marie Bourbonnais dans *La Presse*. Sa ligne «Escarpolette» concourt à effiler la silhouette tout en adoptant un mouvement de bascule, effet suggéré par des vestes plus longues au dos qu'à l'avant. Le buste est net, menu, la jupe imperceptiblement évasée, les manches montées, jamais énormes à l'emmanchure, permettant le dégagement de la ligne serrée du haut pour glisser dans un beau tombant, donnant l'illusion de hausser la taille en élan. Les couleurs mode: bleu matelot, turquoise, rose dragée, gris rocher, vert d'Égypte, maïs, or et petit gris. [S'il] reste fidèle à son style, il ira loin car il est un perfectionniste qui continue ici l'art de Paris.»

«Les vêtements présentés dans son salon sentaient *la grande maison,* note Suzanne Piuze dans *Photo-Journal*. Pourtant, rien n'était excentrique; au contraire, une grande sobriété de ligne (mais quelle coupe!) transformait le moindre costume en un bijou pour les fins connaisseurs. Chacun portait le nom d'une troupe de théâtre canadienne et s'accompagnait du chapeau exquis, portant également la griffe du couturier.»

De sa première collection, Doreen Day, alors responsable de la mode pour les grands magasins Eaton, affirme qu'elle est «superbe, taillée à la perfection.

Michel Robichaud est une étoile qui monte au ciel de la couture canadienne.» Il va continuer.

Et pourtant, les débuts de l'aventure ont été épiques et n'annonçaient pas l'accueil unanimement chaleureux qui sera réservé au jeune couturier dès sa première collection. Le docteur Lavallée se souvient avec un évident plaisir des réunions de travail, à une heure du matin, dans les salons enfiévrés de l'avenue des Pins. Luce préparait un en-cas: «Un vrai pique-nique! se souvient le docteur Lavallée. On était les premiers à juger des modèles, à voir la collection que porteraient des mannequins éblouissants. Il y avait déjà Johanne, la grande panthère, d'un chic inimitable, Jacqueline, aussi grande, plus posée, très grande dame, et Pauline, la petite de la cabine. La veille de la présentation, on a tous dormi sur place, sur des lits de fortune.» Le docteur n'a pas oublié non plus les premières photos de mode printanière que prit Vittorio sur la montagne, dans l'hiver glacial de cette année-là. Les mannequins venaient tour à tour dans sa voiture chauffée à blanc pour se changer en se contorsionnant et repartaient pour de nouvelles photos, un nouveau coup de froid. «J'avais du plaisir, dit encore le docteur Lavallée, à financer quelqu'un dont j'étais sûr qu'il allait réussir; l'argent ne comptait pas.»

Une deuxième collection d'été suit presque aussitôt la première. À la mi-mai, sur des airs de Vivaldi, la presse est à nouveau convoquée pour juger dix créations dont les noms évoquent les héros de notre enfance: *Lulu, Tintin, Spirou, Bibi Fricotin, Blanche-Neige* ou *Pinocchio*. «Diverse malgré ses dimensions réduites, fourmillante de détails techniques intéressants, vibrante de couleurs: orange, vert acide, jaune poussin, lie de vin et blanc, cette collection, note Céline Légaré dans *La Patrie*, confirme l'impression de virtuosité que nous avait donnée le défilé de février dernier.»

Et ça continue. Quelques modèles d'hôtesse tout coton, pour grandes réceptions et toutes saisons, sont présentés sous l'égide de l'Institut canadien du coton, et voilà, le 29 février, la présentation de la collection automne-hiver avec une vingtaine de modèles sur le thème du «Tour du monde». On prend l'*Envolée 727* pour un *Thé à Londres*, un *Dîner à Tokyo*, une *Promenade à Oslo*, un *Voyage en Égypte* et l'on finit au *Carnaval de Québec*. C'est le triomphe de la ligne «Serpentin»: «Elle galbe le corps sans l'entraver. Épaules rondes, buste dégagé, taille à sa place. Cette ligne serpente savamment des épaules aux pieds, sans coutures, sans pinces ou à peine pour souligner le buste. Le couturier obtient cet effet de parfaite harmonie avec le corps en enroulant le tissu sur son mannequin, puis en ne coupant le tissu qu'une fois complètement modelé. Pas de ligne coupée, pas de coutures inutiles, pas de garnitures pour cacher les faux-plis ou les coutures, une ligne ininterrompue, un long serpent sans fin, adorable», déclare Solange Chalvin dans *Le Devoir*. «C'est l'alliage du raffinement européen et de la solidité canadienne», note Claire Roy, dans *Le Nouvelliste* de Trois-Rivières. C'est Claire Roy qui a fait le premier «papier» sur Michel à son retour de Paris; reconnaissant, c'est dans *Le Nouvelliste* qu'il publiera ses premiers croquis.

Une année est passée, une nouvelle s'installe. La femme change par la vertu des réactions: «Les femmes ne portent pas ce qu'elles aiment, disait Christian Dior, elles aiment ce qu'elles portent.» Vers le 20 février 1964, la femme Robichaud devient plus masculine le jour, d'allure romantique la nuit. Silhouette droite, simple, architecturée, inspirée du militaire ou du clergé, c'est la ligne «Cartouche» éclatant en treize modèles: c'est de la superstition à rebours! Elle jongle avec la lettre *f*. *Farfadet*, tailleur du soir en soie marine à jabot et manchettes d'organdi, est commandé par madame Drapeau, première dame de Montréal. Elizabeth Taylor, venue épouser dans la métropole l'acteur Richard Burton, choisit aussitôt *Fétiche*, manteau en lainage rose à col Claudine et double boutonnage. Les chroniqueuses de mode, elles, font unanimement leurs délices de *Fripon*, tailleur court en lainage granité rose et beige, veste à dos droit sans ampleur et bande amovible sur le devant.

Ainsi va la mode. En devenir continu, d'une trame qui est toujours la même et cependant chaque fois différente grâce à l'infinie multiplicité des variations qui l'actualisent au fil des saisons.

À l'automne, le couturier réinvente une femme au charme mystérieux, secret, avec sa ligne «Rond-Point», une vingtaine de modèles aux noms intrigants: *Interpol*, *Mata-Hari*, *Quai des Brumes*. «Respect de la silhouette naturelle, harmonie des lignes, audace de la coupe qui se caractérise par une découpe en fer à cheval, choix exceptionnel des tissus complètent un dessin original et personnel qui permet de reconnaître et de situer immédiatement une création Robichaud», commente Solange Chalvin dans *Le Devoir*.

Quelques mois plus tard, à la mi-février 1965, c'est la ligne «Arc-en-ciel»: un bouquet de fraîcheur! Chacun des treize modèles (encore!) porte un nom de fleur ou de jardin: *Jardin d'Orient* ou *d'Italie*, *Jacinthe*, *Muguet*, *Capucine* ou *Anémone*. «L'élément indispensable est une découpe arrondie vers le haut ou vers le bas, placée sous la poitrine, explique Lily Tasso dans *La Presse*. La manche kimono est un prolongement de cette découpe. Quant aux poches, elles sont à rabat, incrustées dans la découpe et elles se portent très haut.»

Originalité de cette collection: près de la moitié des modèles sont présentés, tels des prototypes, «sur toile», c'est-à-dire qu'ils sont fabriqués en toile de coton, un coton grossier, une sorte de canevas, démontrant ainsi qu'«une erreur de goût est moins grave qu'une erreur de technique» et qu'un vêtement ne peut être réussi que s'il est bien coupé et bien cousu, le reste étant accessoire. On admire «le style, la ligne et la silhouette de chacun de ces vêtements, exécutés avec autant de minutie, de perfection que s'ils avaient été taillés dans des tissus luxueux», écrit Suzanne Piuze.

Avec le concours de Luce, Michel fait de son salon de couture un lieu agréable, chaleureux, raffiné. Contrairement à l'époque de la rue Crescent qui suivra, personne ne s'arrête en passant; on vient avenue des Pins sur rendez-vous. Tous les gens importants de Montréal et de la région y défilent. Il y a les clientes qui ont un nom et qui l'affichent bien haut et les autres dont la gentillesse vise à vous le faire oublier; celles qui ont de l'argent et le cèdent parcimonieusement et les flamboyantes dont la grande occupation consiste à dépenser l'argent qu'elles n'ont pas. Il y a encore les irrégulières qui se promènent presque nues d'une salle d'essayage à l'autre afin d'exhiber les avantages dont la nature les a généreusement pourvues et les légitimes à la respectabilité sévère et guindée, mais bien sûr elles ne se présentent jamais en même temps! Car Luce, avec doigté et maîtrise, voit à tout, note les rendez-vous de chacune, les robes choisies, les robes livrées, les informations utiles afin d'éviter, dans cette métropole qui a parfois des airs de village, les «incidents diplomatiques». Parfois, en effet, on se croirait dans une situation quasi vaudevillesque et un écrivain du début du siècle y aurait sûrement trouvé matière à quelque bon roman.

Il était jeune, il était beau, entouré de clientes fort jolies et fort riches, audacieuses, capricieuses, et même accaparantes. Il y eut bien quelques offres à peine déguisées. Allait-il succomber? On l'avait vu avec une cliente tout habillée de blanc, suivie d'un chien tout aussi blanc, dans une décapotable blanche, devant le Ritz... où il devait faire un essayage urgent. Rétrospectivement, à ce souvenir en forme d'image hollywoodienne, il sourit!

Il n'avait rien de fatal ni de mystérieux, Michel Robichaud.

En ce temps-là, il a plutôt une mine d'adolescent timide échappé d'un roman d'André Gide, trop correct, trop sage. Et pourtant, il semble destiné à faire craquer toutes les belles dames à tendances maternelles et dominatrices. Seulement, il n'est pas bien certain que ce jeune homme pâle et romantique se cherche une maman. La fragilité possède ses limites: celles de ses apparences. La voix, bien que fluette, ne manque pas d'aplomb. L'homme est manifestement sérieux comme un pape et têtu comme une mule. Et dans la galère de la couture, où il s'agit de souquer ferme, sérieux et opiniâtreté sont les qualités qui comptent.

Le jeune couturier découvre qu'il n'est pas facile de satisfaire à la fois le public désireux d'assister à un «événement» et les clientes plus traditionnelles, férues de classicisme. Il va jouer d'audace... en n'osant pas trop. Maintenir une volonté d'évolution subtile de la silhouette vestimentaire, donner toute son attention à raffiner une découpe précédemment définie et renoncer à proposer à chaque collection une nouvelle mode révolutionnaire. «Rien n'est viable que le naturel», affirme-t-il. S'il apporte chaque saison des modifications structurelles à travers quelques modèles vedette, d'autres sont simplement et heureusement des versions adoucies des précédents.

Pour son devoir de rentrée, à l'automne 1965, le couturier présente la ligne «Ruban»: dix-sept modèles portant des noms qui sont une invitation au voyage — *Bilbao*, *Fontainebleau*, *Tivoli*, *Chenonceaux* — et sont traités dans des soieries belles et rares, des cirés gaufrés et matelassés, des lainages fins aux couleurs vibrantes. Caractéristique des tailleurs: une manche dite Toréador qui s'évase à partir de l'épaule pour créer un effet de cape grâce à une astuce de boutonnage. Numéro un: *Versailles*, un long et mince fourreau à peine appuyé à la taille, au décolleté généreux, coupé dans une mousseline de soie couleur blé, monté sur satin blanc antique et entièrement rebrodé à la main de perles et de paillettes de couleurs cuivre et or; c'est le fruit d'un travail d'atelier méticuleux. «En écolier sage et appliqué, Michel Robichaud s'est assis des heures devant sa planche à dessin pour tracer ce long ruban de route qui, sous ses doigts habiles, se transforme en une longue silhouette effilée, sculpturale, qui part en flèche telle une architecture futuriste», commente avec enthousiasme une journaliste.

La préparation d'une collection saigne chaque fois à blanc un couturier qui y consacre un à deux mois de travail soutenu et y engage des fortunes. La réussir est donc une question de survie. «On avait un tout petit fonds de roulement, il y avait des périodes creuses, les ateliers coûtaient gros et la fabrication des vêtements prenait facilement les deux tiers des revenus. Il fallait quinze jours pour coudre un manteau qu'on vendrait 350 $ à des clientes qui estimeraient cela encore trop cher. Alors chaque collection se montait dans l'effervescence et l'inquiétude. Si, une fois présentée, on prenait beaucoup de rendez-vous, si l'agenda se remplissait et ne laissait pas une seule heure creuse, c'est qu'on avait gagné: la collection ferait la saison!»

«La couture est un métier... un métier poétique», disait Yves Saint Laurent, mais il ajoutait aussi: «Un vêtement réussi doit être reproduit.»

Alors que s'est amorcée à Paris, dans la haute couture, une mutation que précipiteront les événements de Mai-68, et que les bouleversements économiques et sociaux vont consacrer la défaite du singulier contre le pluriel, Michel Robichaud pense à se tourner vers un prêt-à-porter élégant, une branche de l'industrie de l'habillement qui lui permettra d'offrir aux femmes qui travaillent et entendent affirmer leur égalité avec les hommes des vêtements simples et pratiques à un coût abordable. Il désapprouve la création de modèles extrêmement spectaculaires qui suscitent l'admiration du public lors des présentations de collections, mais qu'en fin de compte personne n'achète. Il veut concevoir des vêtements pouvant être portés par toutes les femmes.

Une mode qui s'adapte à tous les courants de la vie actuelle ne peut être une réminiscence du passé — ce serait du costume —, ni reposer sur des prévisions d'avenir, car on vit dans le présent. Renée Rowan note dans *Le Devoir*: «Il crée une mode pour la Canadienne telle qu'elle est vraiment aujourd'hui et non seulement pour la taille idéale de mannequin.»

Ne serait-il pas invraisemblable que la haute couture se réalise plus facilement ici que dans la ville qui en est le porte-flambeau incontesté? Or, les nouvelles de Paris ne sont pas bonnes; le temps d'«une seule robe, une seule fois, pour une seule femme, pour une seule occasion» est bien fini. Outre ses aptitudes esthétiques et une maîtrise technique acquise grâce à ses études et à son travail auprès des couturiers parisiens, Michel Robichaud doit beaucoup au simple travail de maturation qui s'est opéré en lui. En pleine possession de ses moyens de création, il sait qu'il va devoir un jour ou l'autre opérer un virage. Il ne suffit pas de draper une mousseline, de piquer l'aiguille ou de donner quelques coups de ciseaux bien placés, il faut être un homme d'affaires au flair sans défaut, un artiste fécond capable d'un travail surhumain. Tout ensemble poète, comptable, architecte et industriel.

Après une première incursion dans le prêt-à-porter grâce à une collection daim et cuir produite avec Roger Paquet et Maurice Panneton sous le nom de Michel Boutique, et d'où sortiront vingt modèles de tailleurs et de manteaux, ligne droite et taille haute, en daim naturel, beige ou vert bouteille, Michel Robichaud monte une collection fourrures avec J. K. Walden, le fourreur renommé de la rue Sherbrooke. Les peaux sont traitées comme des tissus, les idées jeunes, nouvelles, interprétées dans des fourrures inattendues ou classiques, coupées selon les techniques les plus récentes, dans une totale diversité de prix. Cette silhouette semi-ajustée, heureux compromis entre la ligne A et la ligne Empire, émerge du pahmi chinois, du kalgan, du chinchilla, de l'hermine russe, du loup marin, du castor, et bien entendu du vison; elle va faire un malheur.

La même équipe récidivera l'année suivante avec trente modèles, robes-manteaux, capes, manteaux sport, de ville ou de grand luxe en kalgan, en taupe, en loup des prairies, en castor et en vison. Les peaux souples et soyeuses sont traitées dans des teintes souvent inusitées; la ligne, menue sur le devant, joue l'ampleur dans le dos; les cols sont droits et hauts et le double boutonnage est de rigueur. «La ligne est d'une simplicité désarmante et d'une originalité étonnante», remarque la presse. Harmonies inédites, élégances nouvelles, coupes recherchées, soulignées de détails couture. «Je cherche à créer des fourrures originales à des prix abordables et que l'on ne retrouve nulle part ailleurs», précise le couturier. On parlera beaucoup d'un manteau long strié à l'horizontale de bandes de vison blanc neige et gris foncé; les sept dernières bandes, amovibles, se transforment en étole. Ce n'est pas précisément bon marché mais cela fait rêver, et c'est bien agréable.

Michel Robichaud, «le magicien de la mode canadienne», va aussi s'intéresser au tricot. Pour Christina Manufacturing Ltd, il dessine des jupes et des pulls, des cardigans, des écharpes et des bérets. La silhouette est fine, gracieuse, très bien architecturée. Les tricots d'acétate, de banlon, d'antron confirment l'ère du synthétique bien que les éternels et beaux lainages soient aussi présents. De cette collection qui allie le rouge tokay et le bleu turquoise, Thérèse Vaillancourt écrit qu'elle «prouve qu'un article fabriqué en série au Canada n'a pas pour autant l'obligation d'être moche et impersonnel».

La préparation de l'Exposition universelle de Montréal donnant lieu à des promotions multiples, la mode allait se retrouver au programme; on la fit donc voyager. En juin 1966, Michel Robichaud et Marielle Fleury effectuent la première tournée européenne de la mode québécoise. Patronnés par le ministère de l'Industrie et du Commerce et le ministère des Affaires culturelles, ils présentent à Paris, à Bruxelles, à Londres, à Milan et à Zurich dix-huit modèles taillés et cousus dans des étoffes tissées par deux artisans québécois, Édith Martin et Lucien Desmarais, et portés par trois mannequins montréalais: Pauline Bernatchez qui ouvrira plus tard sa propre agence de mannequins, Lise Tremblay qui est à l'époque l'égérie de Jean-Pierre Ferland, et Nicole Deslauriers, laquelle prendra goût à l'écriture en écrivant une biographie de son père, le chef d'orchestre Jean Deslauriers. Madame Lavallée et madame Robichaud mère, comme Luce, sont du voyage. Nina Ricci vient applaudir le travail de son «petit employé» et le félicite pour son évolution.

Toute sa vie, Michel sera partagé entre un goût marqué pour la vie casanière et paisible et un goût non moins vif pour les voyages. Accoutumé à suivre une impérative cadence saisonnière, à vivre l'été par la pensée au milieu des froids de l'hiver, et à concevoir la collection d'hiver sous l'ardent soleil de l'été, il lui fallait développer des facultés d'adaptation aux différences de climat et de rythme, d'où le besoin des voyages pour des raisons culturelles et commerciales. Il va s'y créer quelques habitudes: entre autres celle de s'installer dans chaque hôtel comme s'il allait y passer de longs mois. Dès qu'il entre dans une chambre d'hôtel, il s'empresse de retirer toute la paperasse publicitaire, modifie la place des lampes et parfois la disposition des meubles, défait ses bagages et range tout même s'il sait que ce n'est que pour une nuit, allant jusqu'à installer sur les tables quelques accessoires personnels.

Mais ce désir de bien-être s'accorde aussi à un goût pour la discipline et à un respect très vif pour le travail bien fait. Adepte de la rigueur et de la ponctualité, Michel Robichaud a du mal à supporter de voir ses normes bousculées, les bagages perdus ou oubliés dans un taxi par étourderie, les mannequins égarés dans quelque lieu ou faisant la fête à la veille d'une présentation.

Avant de faire le grand saut dans le prêt-à-porter, Michel va s'occuper encore une fois de haute couture et présenter en septembre 1966 une collection brillante, de grand luxe, entièrement construite sur le thème du «romantisme». Il propose vingt et un modèles pour lesquels il utilise toute sa maîtrise de couturier, avec lesquels il s'affirme tout à fait tel qu'il est. Pureté de la ligne, sobriété des tissus, perfection des détails, luxe raffiné, il atteint là, dit-on, la perfection.

Pour cette collection, les coiffeurs avec lesquels il travaille en étroite collaboration, ont conçu, à l'intiative de Bernard, des coiffures d'esprit romantique et remis à la mode les anglaises et les torsades à la Madame de Sévigné. La silhouette est longue et mince à partir d'un buste court, la ligne appuyée à la taille pour s'épanouir ensuite, les «cols snobs» encerclent le cou, faisant collet monté, les manches «en trompette» s'élargissent vers le bas. Les tailleurs sont remplacés par des ensembles veste et robe; le haut du corsage étant traité dans un ton contrastant fait effet de fausse blouse. C'est le refus clair et net du pop-art, du style à gogo et autre yéyé. Michel Robichaud s'y exprime résolument classique, raffiné, sobre et de bon goût. Et comme pour marquer encore cette option pour l'élégance et la féminité discrète, il présente pour la première fois dans ses collections une robe de mariée. Elle est en aléouchine blanche garnie de petits noeuds de même tissu au col et aux poignets et accompagnée d'un long voile de tulle parsemé de noeuds d'aléouchine; c'est évidemment le clou du défilé.

Ce n'est pas un adieu à la haute couture mais cette période marque un tournant qui s'avérera bientôt irréversible: Michel Robichaud présente en collaboration avec Auckie Sanft une collection de prêt-à-porter; robes, manteaux, tailleurs, quarante modèles classiques et dynamiques où il prévoit, interprète, module les humeurs et les péripéties de la vie quotidienne. La coupe est soignée, nette, audacieuse par ces détails haute couture réservés jusque-là à une clientèle privilégiée. La robe est à effet de gilet boutonné à double pointe, les poignets sont traités mousquetaire, la robe-culotte forme jupe au dos. Il y a profusion de boutons en cuir véritable mais teints aux couleurs des étoffes, jeux de piqûres et de surpiqûres, garnitures de fourrure ou de simili-fourrure. C'est une collection plus voyante que ses collections habituelles mais où il manifeste son habituel bon goût. Dans le *Vogue* français, une page publicitaire pour les célèbres montres suisses Rolex, exprime la place qu'il est en train de prendre dans la mode canadienne: «À Montréal, y est-il écrit, Robichaud crée la mode et Rolex la montre.» Merci Rolex!

Il est le premier couturier canadien à mettre ses créations de mode à la portée des budgets moyens. Il est enthousiaste, ravi. N'est-ce pas ce qu'il a toujours voulu, désiré? Il crée chaque saison quarante modèles qui vont faire le tour du Canada et envahir les grands magasins. Il ne sait pas encore qu'il y a quelques grains de sable dans l'engrenage, que tout n'y est pas parfait, loin de là. Le choix est naturellement soumis au goût des acheteurs, lesquels ne reflètent pas toujours ceux de la clientèle bien qu'ils en soient eux-mêmes intimement persuadés; les acheteurs ne retiennent souvent que quelques modèles d'une collection, évitent les possibilités de coordonnés, les mêlent dans leurs magasins à des milliers d'autres modèles faits ici et ailleurs. Cette présentation groupée de la mode canadienne et internationale est particulièrement odieuse à Michel Robichaud. Alors, il rêve. Il rêve de voir le gouvernement, à l'image de celui de la France, subventionner les maisons de couture d'ici afin que l'on puisse présenter des collections canadiennes aux acheteurs et visiteurs étrangers... et aux nôtres donc! Les couturiers font tous les mêmes rêves. C'est à peu près ce que revendiquera Léo Chevalier l'année suivante quand il dira qu'«il faudrait s'organiser pour recevoir les étrangers qui viennent à Montréal acheter nos créations, organiser une sorte de centre social de la couture».

«Sans subvention, la haute couture mourra, déclare Michel Robichaud. Et d'ailleurs, pourquoi présenter des collections? Pour le prestige, la renommée du Québec, pour dire que la mode existe ici aussi? La clientèle est trop restreinte pour permettre d'entretenir véritablement une maison de couture sur un bon pied. Le prêt-à-porter seul peut permettre à la couture de vivre.»

Pour la première fois depuis qu'il a ouvert sa maison, avenue des Pins, il n'y aura pas de présentation de haute couture au printemps 1967 mais, à l'été, Michel Robichaud offrira à la presse sa collection automne-hiver de prêt-à-porter. «Cet événement est à marquer d'une pierre blanche dans l'histoire de la mode canadienne», écrit Zoe Bieler dans *The Star*. Ces reproductions en série qui tiennent compte des détails comme la haute couture font l'unanimité de la presse qui les juge éblouissantes, d'un chic sûr, et note avec passion l'arrivée de la tunique sans manches à porter sur une blouse ou un chandail à manches longues.

Les premières clientes sont devenues des habituées, elles ont amené leurs amies. Il y a toujours madame Lavallée, la femme du docteur, Louise Simard-Massicotte qui, au fil des ans, s'est révélée inconditionnelle du style Robichaud et une amie, Estrellita Karsch, la femme du célèbre photographe, qui a drainé dans son sillage des gens d'Ottawa. À l'époque, on compte encore la regrettée Denise Pelletier; Alex Pelletier qui, femme d'ambassadeur en poste à Paris, défendra les couleurs de la mode canadienne; madame Jean Lesage. Pour celle-ci, Michel conçoit les robes de l'ouverture de la session parlementaire. C'est un grand moment pour les femmes des divers ministres québécois qui rivalisent alors d'élégance. Michel Robichaud se souvient particulièrement d'une longue tunique sur jupe en soie cordée beige garnie de fourrure. Les essayages avaient été faits à l'hôtel Reine-Elizabeth, dans la suite royale, et il est arrivé au couturier que la porte lui soit ouverte par Jean Lesage lui-même, avec son large sourire et ses cheveux gris, qui s'arrêtait pour bavarder quelques instants.

Madame Jean Drapeau, dès le départ, assista aux présentations de collections et encouragea Robichaud. Volontaire sous ses airs de douceur, elle savait très bien ce qu'elle aimait, bien que ce qu'elle voulait ne fût pas toujours ce qui lui convenait le mieux, d'où des conflits discrets avec le couturier, qui lui proposait des robes moins cintrées. Pour 1967, l'année de l'Expo, les réceptions se suivant mais ne se ressemblant pas, il lui créera chaque fois des robes d'une parfaite élégance parce qu'absolument dans la note; on ne s'habille pas pareillement pour la Reine d'Angleterre et pour la princesse Grace de Monaco, et si avec madame de Gaulle la simplicité est de mise, avec Farah Diba, impératrice d'Iran, les pierreries rebrodées sur robe de satin sont du plus bel effet.

En novembre 1967, à la lumière d'un cocktail-bougie, «Michel le Magnifique», ainsi que le surnomme Niquette Delage, présente en avant-première sa collection printemps de prêt-à-porter où toutes les robes sont largement ceinturées. La mode est aux tailleurs à boutonnage asymétrique le jour, aux robes de couventines à manches longues, col et poignets de dentelle le soir. Le clou du défilé: l'arrivée d'une énorme boîte recouverte de papier rouge d'où jaillira un superbe mannequin portant un modèle-choc de la collection: un tailleur inspiré de l'uniforme de la police montée!

«Avec sa haute couture et son prêt-à-porter, Michel Robichaud représente le meilleur des deux mondes», écrit Wini Rider dans *The Gazette*. En fait, s'il a juste eu le temps de se faire un nom dans la haute couture avant qu'elle ne disparaisse, il est sur la ligne de départ pour les débuts du prêt-à-porter. Une page de l'histoire de la mode québécoise est tournée.

# 4

# *Turbulences*

Être dans le courant de la mode, c'est aussi avoir conscience de ce qui se crée ailleurs et savoir prendre parti de l'évolution des sociétés. Car la mode, en une chimie mystérieuse, réagit à tous les bouleversements des moeurs. Au moment où Michel Robichaud quitte les hauteurs de l'avenue des Pins pour les pavés de la rue Crescent, la mode a changé. Le tournant pris dans les années cinquante a transformé le mode de vie. Des marchés entiers ont disparu, la haute bourgeoisie d'Europe n'est plus et a été remplacée par une classe de professionnels aux aspirations moins élitistes formés à l'américaine.

Reléguée au rang de quasi-monument historique par l'explosion du prêt-à-porter, la haute couture, à laquelle ses propres membres faisaient des infidélités, se retrouve réduite à perpétuer le prestige de la France auprès de trois mille clientes dans le monde et ne compte plus pour faire entrer de l'argent dans ses caisses que sur la vente des parfums et colifichets divers. Une nouvelle génération de créateurs naît qui sort la couture de sa tour d'ivoire et fait de la mode non un motif de parade mais l'expression d'un style de vie.

C'est sur cette image que va s'ouvrir le siècle qui, de Worth à Poiret à Chanel à Dior à Courrèges, va évoquer cinq générations de femmes et marquer combien la mode est un phénomène de société. «Tordue en S par le corset, emmaillotée dans les jupons, chemises, jupes, comme dans un emballage hermétique, étouffée, écrasée par d'énormes chapeaux à fleurs, fruits ou oiseaux, les traits cachés par la voilette, les pieds prisonniers de bottines, la femme 1900, forteresse inexpugnable, ainsi que le disait l'écrivain François Nourissier, subit une mode qui cumule les excès Louis XVI, les pudeurs Napoléon III et la respectabilité victorienne.»

Artiste génial, personnage à la mode et organisateur de fêtes somptueuses, Poiret cassa cette ligne et prôna la souplesse naturelle du corps, voulant la femme sans tous ces dessous compliqués et froufroutants qui contribuaient à faire une taille si fine qu'une belle de l'époque se vantait, dit-on, de pouvoir utiliser en ceinture le faux-col de ses amants!

Poiret inventa les parfums de couturier, créa une école de décoration, prédit le succès du pantalon féminin; il fut entendu. En Angleterre, sous le blitz, les femmes vont se mettre à porter le pantalon; nécessité fait mode.

Assoupli le carcan, ébranlée la tyrannie de la pudeur et des bons usages: la cheville apparaît, le corset bat de l'aile, la guerre a bouleversé l'idée que la femme se fait de son corps, donc de son vêtement. La mode hésite un instant puis se jette dans ce grand bouleversement des moeurs qui a fait des années vingt une période de mobilité, de fièvre, d'invention. Exit Poiret, entrée de Chanel qui, raconte Edmonde Charles-Roux, «fera d'une robe d'une déconcertante simplicité, sans col ni poignets, en crêpe de chine noir, à manches longues et très ajustées, blousant sous les hanches, une sorte d'uniforme unanimement adopté que *Vogue* comparera à une automobile... «Voici la Ford signée Chanel.» Chanel et Elsa Schiaparelli se spécialisent qui dans le jersey, qui dans le sweater et le sportswear. On les accuse de créer un vêtement pour la femme qui travaille et de mettre ainsi la mode à la portée de la femme de la rue.

Les années trente se présentèrent comme un retour en arrière dans l'évolution, comme si les femmes affolées par les émancipations des années précédentes voulaient retrouver les formes rassurantes d'une féminité traditionnelle. Comme un retour de balancier, la Deuxième Guerre mondiale changea tout cela jusqu'à ce que le *new look* mette un frein à tant de dissipation et marque l'apogée de la mode classique à partir de laquelle vont se déchaîner des intentions contradictoires. Le *new look* s'explique par une réaction assez particulière, de privations, d'austérité. La silhouette sophistiquée — carrure étroite, taille bien prise, jupe rallongée jusqu'aux chevilles — qu'a inventée Dior exprime un refuge dans une féminité d'un autre âge où la femme n'était pas un combattant mais un être fragile qu'il convenait de protéger.

Enfin, Courrèges vint. Formé à l'école de Balenciaga avec qui il travailla pendant onze ans, André Courrèges inventa au printemps 1965 une ligne géométrique extrêmement dépouillée, jupe au-dessus du genou et remontant même à la naissance des cuisses, qui fit l'effet d'une bombe et eut un énorme impact. Sur les Champs-Élysées à Paris, sur la 5e Avenue à New York et sur la rue Sainte-Catherine à Montréal déambulèrent des femmes qui semblaient venues de l'espace. Ces *moon-girls* allaient exprimer pour les sociologues de la mode «les aspirations d'une nouvelle génération de femmes avides d'affirmer leur égalité à l'homme et leur droit à une vie sexuelle». Mais comme le remarque Michel Robichaud, Courrèges, dont on pouvait penser qu'il moderniserait tout, se limita à des vêtements de plus en plus architecturés qui donnèrent vite à la femme l'impression d'un carcan, ce qui n'était sûrement pas l'objectif que sa *moon-girl* avait visé en offrant à la femme le contrôle de soi.

Jusque-là, la haute couture était française et ce règne de la France incontesté. Celui qui espérait devenir couturier allait à Paris, s'il le pouvait, pour recevoir le baptême du goût. Certains y restaient; ils étaient adroitement assimilés. À partir des années soixante, l'hégémonie ne sera cependant plus française. La mode surgira de partout et, grâce aux étonnantes possibilités offertes par les communications modernes, toutes les infuences s'exerceront. S'instaurera un véritable circuit de la création-mode né du brassage des cultures et de la mixité des informations. Les nouveaux couturiers, de façon à générer une création personnelle, puiseront leur inspiration dans toutes les traditions vestimentaires du monde: le sportswear américain, le kimono japonais, le bleu Mao de Chine, le boubou africain, le sari indien et le kilt écossais.

Mademoiselle Chanel deuxième manière mena un temps le bal car cette octogénaire réhabilita dans les années cinquante et soixante le grand *savoir-faire*. Toutes les femmes à travers le monde, de même que leurs mères avaient porté dans les années vingt les premiers twin-set en jersey inventés à Deauville et copiés par l'Amérique, endossent l'inimitable et très imité petit tailleur Chanel à galons, lui ajoutant les sandales à bouts noirs et le sac matelassé, proclamant ainsi la victoire absolue d'un style.

Il faut aussi compter avec Pierre Cardin qui occupe une place à part dans la couture. Innovateur génial, Cardin, s'il est l'un des précurseurs de la mode pour la femme moderne, est aussi le directeur d'un prodigieux empire commercial. Ses collections furent un laboratoire d'idées et de recherche pour l'étudiant Robichaud. «Cardin, dit-il, a inventé tout un style autour du concept de symétrie et d'équilibre dans le mouvement. On est fasciné encore aujourd'hui par ses vêtements qui semblent sortis de l'an 2000. Cardin n'a pas oublié l'homme et a cassé le complet traditionnel par des blazers cintrés et des cols Mao. Enfin, il m'a appris que la force du designer est dans la diversification.»

D'aucuns considèrent que le plus grand couturier du dernier quart de siècle est Yves Saint Laurent. Sa première collection en 1958 a lancé la ligne «Trapèze» et révolutionné la couture française. Lors de l'ouverture de sa propre maison en 1961, il proposa une adaptation du caban, la blouse du Normand, qui a accompli son tour du monde. Il a fait apparaître le smoking féminin, mis à la mode la saharienne et le style safari des années soixante-dix, revalorisé tous les folklores. Passionné d'art, Yves Saint Laurent s'est inspiré de Mondrian, de Picasso, de Velasquez, et maintenant de Braque et de Van Gogh, pour créer des robes qui sont de véritables tableaux.

Exposé au Metropolitan Museum de New York puis au Musée des Arts de la Mode à Paris, Saint Laurent a conquis la rue grâce à son prêt-à-porter. Si Cardin en est l'instigateur, Saint Laurent «occupe une position de chef d'école» selon le mot d'Hélène de

Turckheim, journaliste au *Figaro*. Il crée en 1966 sa première collection de prêt-à-porter en fonction de la fabrication industrielle et installe une première boutique Rive Gauche, à Paris, deux ans plus tard. Il a depuis ouvert une centaine de boutiques et étendu son empire de Paris à Hong Kong, de Caracas au Koweit.

Avec l'éclatement des frontières, des pays auxquels on n'avait pas pensé s'imposèrent dans la mode. L'Italie refusa de se limiter au seul design de mobilier. Le Japon bouleversa la mode dans les années quatre-vingt avec son style haillons et les États-Unis mirent toute leur science à définir une mode simple et juste dont les composantes étaient, dit-on, établies par ordinateur.

La première vague arriva d'Angleterre, qui joua sa plus belle partie dans les années soixante, portée par les airs des Beatles en costume de velours côtelé et jabot de dentelle. Laura Ashley inventa le «style grenier de grand-mère»; Mary Quant, la mini-jupe qui allait révolutionner la rue; et Barbara Hulanicki, une nouvelle façon d'acheter grâce à Biba, une somptueuse boutique en forme de caverne d'Ali Baba, qu'elle avait elle-même pensée et dessinée. Dans son livre *Raison et Passion* auquel nous allons faire plusieurs fois référence dans ce chapitre, Françoise Vincent rappelle que «le Royal College of Art de Londres a joué un rôle considérable pour promouvoir les talents créatifs et marchands; une section conception et aménagement de l'espace liée au dessin était porteuse de réalisations dans ce sens».

La vague suivante vint d'Italie grâce à quatre couturiers racés qui devinrent en quelques années des vedettes internationales. Gianni Versace, fils d'un boutiquier de Calabre, travaillant autant pour les hommes que pour les femmes, répandit ses créations dans plus de quatre cents points de vente et lança des parfums dont il vendit en une seule année un million de flacons. Valentino, ex-assistant de Guy Laroche, comme Michel Robichaud, est l'aîné de ces Italiens avec plus de vingt-huit ans de couture à son actif. Il possède trente boutiques et deux cents points de vente où bas, bijoux, chaussures, maillots, bagages, vêtements de ski et tenues de tennis arborent le grand V de Valentino.

Giorgio Armani a réétudié ses classiques avant de concevoir une mode qui n'a pas pris une ride tant elle est faite de rigueur et d'harmonie. Converti en homme d'affaires et en champion du prêt-à-porter par sa griffe Emporio, il habille bon an mal an plus de deux millions d'hommes, de femmes et d'enfants, et répand une image nette et active à travers une quinzaine de boutiques et plus de deux cents points de vente différents dans les grandes capitales. Gian-Franco Ferré, ce fils de grande famille de la bourgeoisie industrielle, à la carrure imposante, est un architecte qui s'est reconverti dans la mode après un long voyage en Inde. Son sens de la rigueur s'allie à la qualité offerte par la technologie. Ses carrures à angles droits et son alliance du noir et du blanc crémeux ont défini son image de marque. Il exerce aussi ses compétences dans la création de montres, de parfums, de cravates, de lignes de bain et de bagages.

Ce quatuor d'Italiens, auquel il faudrait ajouter Krizia avec ses pulls ornés de grands animaux, les soeurs Fendi avec leurs fourrures fabuleuses et Missoni avec son kaléidoscope de mailles, a porté un coup très vif à l'hégémonie française. Bien sûr, avec leur raffinement subtil et leur très grande élégance, ils vont encore chercher la consécration à Paris mais ils s'établissent aussi dans toutes les grandes villes du monde, et désormais les acheteurs américains déferlent autant sur Milan que sur Paris au temps des présentations de collections. Les exportations italiennes ont augmenté de 723 p. 100 au cours des dix dernières années.

À cet assaut, le plus fort qu'elle ait connu jusque-là et qui sera cependant suivi de quelques autres, la France résista tant bien que mal, assimilant chaque créateur qui s'établissait sur son sol. Français, Per Spook le Norvégien, Hanae Mori la Japonaise, Ungaro l'Italien qui mélange les imprimés et se joue des couleurs comme personne.

La troisième vague, pourrait-on dire, vint de la rue. Dans un raccourcissement prodigieux où la convenance en prit pour son rhume, la mini-jupe de Mary Quant marqua une mue certaine de la société. S'exprimant parallèlement à la couture, une anti-mode va se développer qui sera le fait de la jeunesse. Déjà depuis les années quarante, les zazous puis les teddy-boys, enfin les beatnicks avaient voulu affirmer par leur tenue vestimentaire leur refus de la société. L'anarchie beat, qui évite le luxe et la flamboyance et opte pour le noir, eut des répercussions même sur Michel Robichaud adolescent, dans les soirées enfumées de l'Échourie, rue Clark.

Mais les chimères hippies du *flower-power* annoncèrent une volonté de changement grandissante. Fausses gitanes et rêveurs *baba-cool,* s'étant rencontrés dans un *summer-long-love-in,* retrouvés l'année suivante à Woodstock puis sur l'Île de Wight, déferlèrent sur la ville et dans les garden-parties les plus huppées. «Toute rupture un peu ample du quotidien introduit la fête», remarque Roland Barthes.

Les sahariennes de Michel Robichaud vont croiser ponchos et djellabas, jupons mexicains et chemises de moujik, caftans et vestes Mao. Ces jeunes devenus, par la superposition de vêtements vagues, de véritables coq-à-l'âne vestimentaires s'approprient le monde. Celui de la couture aussi.

La France respire. Une nouvelle race de créateurs lui est née qui, de 1968 à 1978, va exploser «en une série de propositions nouvelles qui apportèrent la jeunesse et l'air frais à l'establishment de la haute couture. Elle va traiter la mode comme un spectacle et sera l'image des révolutions et des fantasmes du monde d'aujourd'hui. Les jeunes couturiers relèvent le défi de l'angoisse du monde par leur vitalité créative. Ils renouvellent tout: du classique au fantastique», rapporte Françoise Vincent.

Les choses bougent tellement que la Chambre syndicale de la couture parisienne, jusque-là réticente, tente une opération de liaison couturiers-créateurs... mais n'insiste pas trop. Pour être vraiment reconnus comme entités, les créateurs devront faire en 1975 une tournée triomphale au Japon, d'où ils reviendront enrichis de licences. La Chambre syndicale du prêt-à-porter des couturiers et des créateurs est formée; elle regroupe aujourd'hui une quarantaine des uns et des autres, répartis de façon à peu près égale.

Pour faire partie de cette chambre syndicale, il faut obéir à des règles, il faut une structure juridique et commerciale solide et une notoriété certaine. On pense donc à Sonia Rykiel, la reine du tricot qui inventa «un jersey nommé désir», selon le mot de la journaliste Claude Berthot; elle ne fait aucune concession à la nouveauté et reste inégalée dans son domaine. On pense aussi à Montana qui apporta le choc des nouvelles proportions et qui, grâce au *padding*, renouvela l'épaule. «Ce qui compte, dit-il, c'est l'épaule, le vêtement s'y suspend, c'est de là que tout part.» À Kenzo avec ses grosses fleurs et ses coupes à plat dérivées du kimono. À Azzedine Alaïa, ce petit Marocain qui après toutes ces modes amples et larges, recréa la femme en jersey, lui redonnant un coup de coeur pour son corps. À Jean-Paul Gaultier enfin, provocant et caricatural, faisant un pied de nez aux bonnes règles en inventant «des vêtements faits pour tomber, faits pour celle qui veut que cela tombe de temps à autre». Il mit des porte-jarretelles sur les jupes, força les coutures, laissant la braguette ouverte... pour secouer la tradition. Mais selon Michel Robichaud, ce passionné d'élégance, « il y des limites à faire n'importe quoi tout simplement pour qu'on en parle».

Les vagues britannique et italienne avaient déferlé sur la couture parisienne: la rue servit de ressac mais alors que la France croyait avoir repris les commandes, une nouvelle vague arriva du Japon.

Les nouvelles créations japonaises que les femmes se mirent à porter et à imiter au début des années quatre-vingt étaient des archétypes vestimentaires occidentaux réinterprétés selon la sensibilité japonaise. Elles exprimaient cependant une relation résolument anti-occidentale entre le corps et ce qui l'habille. On y mettait l'accent sur des étoffes utilisées à grand volume, et dont le corps en mouvement révélait la texture. On attirait l'attention sur des parties du corps ignorées jusqu'alors à travers des déchirures et des haillons qui firent baptiser cette mode «look post-Hiroshima». Ces vêtements ne tentaient pas de séduire par l'allusion sexuelle, en suggérant ou en provoquant; ils créaient au contraire une allure faite d'aplomb et de grâce, de force intérieure, de sens de la démarche et du geste. Ils réapprenaient aux femmes à être des femmes et redisaient de façon moderne ce que le port du kimono enseignait aux femmes d'Orient depuis des temps immémoriaux.

Inspirée du look punk londonien, des jupes longues des hippies américaines et de la mode européenne la plus raffinée, cette mode hybride japonaise/occidentale «devint un genre de discipline, une réflexion sur le corps perçu dans ses réactions aux caresses et aux contraintes du vêtement», selon Léonard Koren. Avec un formidable sens de l'analyse et celui, inné, de la copie bien réinterprétée, toute une brassée de talents nippons fleurirent et eurent un impact considérable sur le comportement, les goûts et l'accessibilité de la mode pour le grand public. Mais Issey Miyake, Rei Kamakubo et Yohsi Yamamoto durent être reconnus ailleurs avant que le Japon n'admette qu'ils étaient des pionniers et stimulaient les activités de leur propre pays. «Je fais une mode libre mentalement et physiquement», dit Issey Miyake qui, au goût sensuel des textiles et des volumes, ajouta le dépouillement d'une mode constamment en mouvement. À son sujet, Michel Robichaud déclare: «C'est un génie, l'un des plus grands. Un seul des vêtements de ce Japonais de l'Europe pourrait constituer le thème d'une collection tout entière.»

L'infrastructure de la mode japonaise fait appel autant aux industriels qu'aux gouvernements et aux écoles de formation. Les grosses firmes nationales emploient beaucoup de japonais, bien qu'ils achètent aussi de l'étranger et prennent des participations en France (Courrèges) et aux États-Unis (Anne Klein). La politique à long terme mise en place par le Japon pour atteindre une suprématie mondiale dans le textile comme dans d'autres secteurs a commencé à porter ses fruits.

Une cinquième vague qui allait ébranler la mode allait néanmoins éclater. Il est possible que celle-là soit la plus importante parce qu'elle nous préoccupe aussi et qu'elle repose moins sur le pouvoir créateur que sur les goûts des masses. Elle est née en Allemagne.

Le prêt-à-porter allemand, raconte Louis Winitzer dans un article de la revue *Commerce*, a pris son envol en 1986 à Düsseldorf, au cours de la grande exposition internationale de la mode allemande, IGEDO. Un défilé-marathon, auquel assistèrent en masse les acheteurs américains, a révélé les modèles d'une série de couturiers de Hambourg, de Düsseldorf, de Berlin et de Munich dont on n'avait jamais entendu parler. Ce fut un triomphe.

L'Allemagne occidentale pouvait déjà compter sur une industrie de confection pour femmes dynamique et bien structurée lorsque, en 1984, ses dirigeants décidèrent de moderniser son équipement. En même temps, ils mirent en place un vaste réseau de sous-traitance reposant avant tout sur les travailleurs immigrés, les femmes au foyer, les chômeurs et les artisans, ce qui permit de réduire considérablement les coûts de production. Les meilleures maisons misèrent sur des designers allemands, et les Allemands eux-mêmes se firent un point d'honneur de respecter les délais de livraison pour faire mieux que leurs concurrents latins dont les retards sont légendaires. Grâce à sa qualité et à ses prix, nettement inférieurs à ceux qui étaient pratiqués par les Français et les Italiens, le prêt-à-porter allemand fit un véritable tabac. *Harper's Bazaar* écrivit: «C'est assez chic pour la *yuppie* et bien moins cher.»

En fait, ce ne sont pas là des créateurs qui bouleversent la mode comme l'ont fait les Français au cours du siècle, les Japonais, les Italiens ou simplement les Américains avec le sportswear et cette mode simple et juste qui fit leur succès. Les Allemands s'efforcent moins de guider que de bien suivre, de tenir leurs montres à l'heure, de présenter des modèles qui correspondent aux goûts locaux en y ajoutant une note originale, explique Manfred Kronen, qui a la main haute sur IGEDO.

Les top-designers allemands, Joop, Bechtolf, Raasch, Hympendahl et Claussen, avouent eux-mêmes: «Nous n'avons pas encore une identité propre», mais ils s'élancent dans la foulée d'Escada — deux cents millions de dollars de chiffre d'affaires — et de Mondi — soixante-quinze millions de dollars —, lesquels se sont déjà implantés tous azimuts et dont la stratégie de croissance comporte le lancement de boutiques dans les plus grands magasins du monde: Harrods' à Londres, les Galeries Lafayette à Paris, Berg-dorf & Goodman à New York.

Les Français ont pour eux le bon goût mais les facteurs économiques priment de plus en plus dans la mode. Les Allemands réduisent les coûts, prennent peu de bénéfices et mettent sur pied de judicieux relais commerciaux. «Les Allemands ont une évolution que nous devons faire nôtre, commente Michel Robichaud. Ils n'ont pas de style qui leur soit vraiment personnel, mais ils ont développé un système et une efficacité et sont aidés aussi bien par les industriels que par leur gouvernement. Ils sont en train d'atteindre une tribune internationale.»

Comme l'Allemagne, l'Amérique, pendant des années, se nourrit de la reproduction de la couture française puisqu'il n'était de mode qu'à Paris. Pour se protéger, les couturiers français imposèrent aux manufacturiers américains qui souhaitaient assister à la présentation des collections d'acheter au moins deux modèles ou de payer leur place à prix d'or. Rou-blards, les manufacturiers américains gagnaient encore, car ils savaient bien que leur *pattern-maker* qui les accompagnait saurait mémoriser les modèles de la collection ou sinon que leurs confrères seraient prêts à échanger leurs patrons. Avec le temps, les créateurs américains apprennent le métier et se font enfin une place sur le marché mondial en définissant un style.

Liz Clairbone, Ralph Lauren et Calvin Klein sont aujourd'hui à la tête d'entreprises dont le chiffre de ventes excède un billion de dollars. Leurs fortunes personnelles se comparent à celles qu'amassèrent ceux qui bâtirent l'Amérique industrielle au XIX$^e$ siècle. Calvin Klein, un petit gars du Bronx, gagne à lui seul dix-sept millions de dollars par année. Jamies Galanos, qui fut apprenti de Robert Piguet à Paris et cogna pendant cinq ans aux portes de tous les manufacturiers américains pour y vendre de temps en temps un dessin qu'on lui payait cinq dollars et avec lequel on ramassait un demi-million, vit aujourd'hui luxueusement de la confection de robes du soir d'un raffinement exquis. Ces designers sont l'expression du rêve américain où tout est possible pourvu qu'on ait de l'ambition, de la ténacité et, bien entendu, du talent.

Anne Klein a su adapter l'idée couture à la manière d'être, au style de vie et à la carrure de la femme américaine. Elle fonda en 1963 sa propre maison avec son mari Matthew Rubinstein et grâce à la collaboration d'industriels avant-gardistes. La première, elle dessina une collection de ville faite de vêtements qui pouvaient se combiner de façon à constituer une garde-robe complète. En achetant individuellement chaque vêtement qu'Anne Klein proposait et en l'assortissant avec un autre, la femme américaine pouvait croire qu'elle inventait sa propre mode. Cela fit le succès que l'on sait. L'Amérique construisit son image sur ces coordonnés équilibrés et confortables au look résolument contemporain.

Si le budget que le consommateur alloue à l'achat de vêtements a plus que doublé depuis quinze ans, la mode, elle, coûte de plus en plus cher, en amont et en aval. Les défilés de couture obligent à des dépenses considérables d'énergie et d'argent. Les créateurs sollicités de façon constante, pressés comme des citrons, gardent difficilement dans un tel contexte la même intensité de création. Tout faire est impossible: il faut diriger ou créer. Aussi, si l'aide n'arrive plus de l'industrie (on y trouve de moins en moins de mécènes), elle pourrait bien venir du côté de la distribution. Normal puisque la mode, hier encore privilège d'une caste, vire au tic universel!

Aux États-Unis, Halston se lie à Penney's, célèbre catalogue de vente par correspondance. En France, les Trois Suisses font appel à Sonia Rykiel, Poppy Moreni,

Azzedine Alaïa, Jean-Paul Gaultier, d'autres encore qui, tout en gardant leur personnalité, repensent leurs créations élitistes pour la grande diffusion. Au Canada, Michel Robichaud s'est habitué dernièrement à voir son produit griffé diffusé à des milliers d'exemplaires à travers le Canada. Pas surprenant puisque le catalogue Sears est publié à quatre millions et demi d'exemplaires et que la mode Robichaud Diffusion est proposée, de l'Atlantique au Pacifique, dans une cinquantaine de magasins.

Une telle diffusion permet à Michel Robichaud d'exploiter une formule dont il rêvait. Au lieu de concevoir une centaine de vêtements tous les six mois, il construit une silhouette et réalise à partir de celle-ci plusieurs groupes parfaitement coordonnés tenant compte des saisons et des occasions. Il ne fait pas l'ombre d'un doute que Sears permet enfin à la plupart des femmes de porter ce dont elles avaient toujours rêvé en feuilletant les magazines: un Robichaud.

Un temps chasse l'autre. John Warden, Jean-Claude Poitras, François Guenet ont comme Michel Robichaud proposé chacun leur look puis ouvert et fermé boutique. Chantal Gagnon (Caboche) s'est installée dans le Vieux-Montréal, à l'ombre du clocher de l'église Notre-Dame. Simon Chang vient d'effectuer sa rentrée aux Cours Mont-Royal comme Parachute qui, établi à New York, à Los Angeles et à Vancouver, a dessiné les vêtements des stars de *Miami Vice*. Les créateurs Harry Parnass et Nicola Perry conçoivent une mode marginale, mais souple et architecturée; ils sont l'un des rares exemples d'une création canadienne qui a franchi les frontières.

«Pour faire une mode d'ici, estime Michel Robichaud, il faut penser à la façon dont on vit, à notre climat. On ne porte pas un manteau maxi qui traîne dans la *slush* ni des bottes de cuir fin en plein hiver, dans la rue. C'est entendu, il est plus facile d'être élégant dans une ville ou un pays où il ne fait pas si froid, où il ne neige pas autant. C'est pour cela qu'il faut apprendre à porter la fourrure, qu'il faut pouvoir s'emmitoufler dans de grands cols qui tiennent chaud et permettent de marcher droit, la tête haute. Au chapitre des couleurs, notre goût et nos besoins ne sont pas identiques à ceux de l'Europe; les kaki, les taupe, certains verts sont très beaux mais l'hiver, quand on a le visage blême, ces couleurs ne sont guère flatteuses.

À vrai dire, existe-t-il une mode québécoise ou canadienne? Oui, il existe des créateurs, des aspirations aussi, mais le Québec, ou même le Canada, est loin d'avoir une influence semblable à celle de Paris ou de Milan. Nos moyens ne sont pas ceux des Américains, le sens du marketing allemand n'est pas encore rendu jusqu'à nous...

Peu de créateurs québécois ont connu le succès et leur expérience est clairsemée. Il y a vingt-cinq ans à peine, l'Amérique — États-Unis et Canada confondus — vivait sous les feux de l'Europe et obéissait à tous ses diktats dans le domaine de la mode. Une civilisation a changé sous nos yeux; l'Expo a constitué le point culminant de ce changement. Mais les *happy-few* s'habillent toujours de vêtements importés, et des boutiques entières sont consacrées aux créateurs étrangers.

Des mouvements sporadiques se créent encore. Les manufacturiers d'ici jouent à la chaise musicale avec nos designers de mode qui font fabriquer de plus en plus à Hong-kong ou en Corée. Les gouvernements du Québec et du Canada injectent par secousses de l'argent dans la mode. Montréal est peut-être en train de perdre son statut de capitale canadienne de la mode. Tout ce beau monde apprend. Et c'est le temps, seul juge, qui saura séparer le bon grain de l'ivraie.

# 5

# *La rue Crescent*

Ne pas savoir risquer, c'est cesser d'être un chef.
Vivre, c'est agir, c'est lutter, c'est vibrer et faire
vibrer les autres...
C'est vaincre!

CARDINAL MERCIER.

Si son association avec Sears va marquer dans les années quatre-vingt l'entrée de Michel Robichaud dans la grande diffusion, son expansion dans le prêt-à-porter à partir de sa boutique de la rue Crescent à la fin des années soixante élargit déjà son contact avec les gens de la rue.

Quand il s'y installe en août 1968 — l'inauguration officielle se fait le 10 septembre au cours d'une de ces fêtes au champagne dont Luce et

Michel ont le secret —, Michel sait déjà qu'il doit continuer de faire connaître sa griffe en solitaire. Pour
l'instant, s'il n'est pas encore assez fort pour tout contrôler (la gestion, la direction, la fabrication, la distribution et la mise en marché), il n'est pas non plus
assez faible pour tout accepter: l'exploitation par les
grands, les lois de la compétition, les manufacturiers
qui diffusent une collection en refusant à son auteur le
droit de la signer. Travailler avec un dessinateur de
mode a ses exigences. Ces nouveaux créateurs déran-
gent les manufacturiers canadiens qui, spécialisés
dans la copie, sont intimement persuadés que le
Canada ne peut engendrer aucun talent.

Michel Robichaud ouvre sa boutique au numéro
2195 de la rue Crescent, sur ce tronçon de rue qui
deviendra pour Montréal «la rue de la mode», à
l'exemple de la rue du Faubourg Saint-Honoré à Paris
et de la via Condotti à Rome. Dans cette boutique, il
offre à la fois du sur mesure, avec des modèles couture, et du prêt-à-porter manufacturé enfin griffé Robichaud. Là, il va créer suivant les élans de son imagination, en tenant compte des besoins du quotidien.

Le 2195 est une belle maison bourgeoise dont la
façade a conservé ses pierres d'origine; les ateliers
sont situés aux étages supérieurs, la boutique au rez-
de-chaussée, le bureau de Michel également. Les
murs de celui-ci sont tendus de velours cannelle et les
meubles de style Louis XVI rappellent que le goût
français a influencé celui qui l'occupe. Le décorateur
qui a aménagé la boutique a fait en sorte que l'ancien
et le moderne se côtoient harmonieusement. Les murs
sont recouverts de velours à fines rayures grège, les
fauteuils en cuir naturel sont de style anglais et les
miroirs, omniprésents. Démontrant un réel souci du
détail qui fera le renom de Michel Robichaud et consti-
tuera sa marque de commerce, les salons d'essayage
ressemblent à des écrins tendus de velours brun,

matière et couleur alors au goût du jour. Une quinzaine d'employés, dont madame Huguette Baril, première vendeuse, puis plus tard madame Fiquet, assistent Luce et Michel, toujours présents. Pas de repos pour les Robichaud.

Perçu comme un «phénomène» dans l'histoire de la mode canadienne, déjà enveloppé d'une aura mythique malgré son jeune âge, Michel sait qu'il s'est lancé dans une dure bataille et qu'elle sera longue. Lentement, il fait l'expérience de ce milieu auquel il accorde toute son attention, son temps, ses énergies; c'est un milieu sophistiqué et difficile où l'indulgence n'est pas de mise, et où patience et diplomatie sont de rigueur! Pour y survivre, il faut apprendre à faire la sourde oreille aux commérages et aux mesquineries.

Si la vitrine de la rue Crescent n'a pas été renouvelée depuis trois jours, on murmure que la boutique ne fait pas ses frais; à toute occasion, les rumeurs les plus saugrenues circulent. Par exemple, on entend bien souvent dire que la faillite est imminente. Or, si les fins de mois sont parfois difficiles, s'il arrive à Michel Robichaud de douter, il maintiendra quand même le gouvernail contre vents et marées pendant dix ans. Ce qui n'est pas une mince affaire compte tenu des besoins et des contingences matérielles de la création. Les tissus importés coûtent facilement le double de leur prix dans leur pays d'origine, les employés d'ici sont mieux payés, la clientèle est infiniment moins nombreuse et surtout moins disposée à payer cher. Comment réussir?

Michel Robichaud est néanmoins persuadé que si on peut créer une tradition canadienne, le prêt-à-porter pensé par des couturiers locaux est voué au succès. Il va quant à lui imposer les bases d'une philosophie: pour lui les éléments d'une garde-robe alliant qualité et bon goût peuvent s'assembler indifféremment et se remplacer indéfiniment. Le raffinement de leur coupe, de leurs matériaux, de leurs nuances, de leur finition, ainsi que le choix et la multiplicité des accessoires qui peuvent les accompagner leur permettront de défier le temps et les changements de la mode. Ce que reconnaît Iona Monahan, grande journaliste de mode, quand elle écrit dans le *Montreal Star* du 5 novembre 1972: «*Michel Robichaud is the most consistently identifiable of all publicized Canadian designers.*»

Dès le départ, Michel Robichaud est bien décidé à se faire un nom, à imposer sa griffe; il ne va pas en démordre. Pour marquer l'ouverture de la boutique de la rue Crescent, il imprime ses initiales sur un médaillon d'or et d'argent qui, retenu par une chaîne portée à la taille ou à la hauteur des hanches, identifie la mode Robichaud. À ses créations fabriquées en atelier et aux modèles manufacturés, il ajoute des accessoires personnalisés: des bérets accompagnés d'écharpes frangées, des casquettes à oreilles de style gamin, des canotiers d'allure espagnole, des chapeaux bretons aplatis aux bords contrastés et des foulards en jersey.

Petit à petit, ses modèles manufacturés se retrouvent chez Dupuis Frères à la boutique Fantasmagorique, chez Eaton à la boutique de la Jeune Montréalaise, ainsi que chez Ogilvy's. Les coordonnatrices de mode de ces divers magasins, Doreen Day, Jennifer Lindsay, Molly Ballantyne et Michèle Bussière, qui ira ensuite défendre les couleurs de la mode québécoise et la cause des créateurs au sein du gouvernement provincial, l'encouragent et l'appuient autant que possible.

Les années soixante-dix marquent un tournant. Michel Robichaud vient d'avoir trente ans et arbore maintenant une moustache. Il est plus sûr de lui, moins timide. Il prend goût à la société et à ses fêtes. «Il faut savoir ce que les gens portent ou voudraient porter, il faut sortir», explique-t-il. Il rencontre des gens d'affaires, des gens qui ont de l'argent. Son entraînante gaieté, les fêtes qu'il organise avec Luce, sa femme, celles auxquelles ils assistent, leur gentillesse et leur charme expliquent partiellement son ascension. Devenu l'ami de la presse, entouré, embrassé, chouchouté, dévoré par sa clientèle, il lui faut se surpasser.

À la boutique Soleil, dans le Vieux-Montréal, Michel présente une collection de printemps dans une ambiance psychédélique. Son style est maintenant moins conservateur. Midi, mini, maxi, les vêtements sont gais, jeunes, frais; les manteaux de style militaire dans des tons de rouge et de marine s'ornent de boutons dorés et de chaînettes; les robes chemisiers en soie imprimée vert acide et bleu ciel ont des manches étroites ou bouffantes aux poignets et une cravate faisant écharpe; les cosmo-corps crochetés croisent les premières capes.

Si son train de vie n'est pas le même que celui de ses amis de la haute société, il compense par une honnêteté, une attention, une élégance parfaites. «Il faut avoir la tête bien accrochée sur les épaules pour pouvoir résister aux dangers du succès», confesse-t-il aujourd'hui. Pour le public, il est une vedette incontestée. «Vous êtes notre Dior, notre Saint Laurent.» Un jour, après une présentation chez Dupuis, une averse l'arrête alors qu'il s'apprête à quitter le magasin. Il attend prudemment sous le porche que l'intensité de la pluie diminue.

«Vous attendez votre chauffeur? s'intéresse une dame.

— Mais non, madame, je n'ai même pas de voiture.

— Vous êtes vraiment très drôle!» de répliquer la dame, qui ne le croit évidemment pas; allons, l'idole n'aurait pas de voiture, l'idole marcherait!

Il n'est pas dans le tempérament de Michel Robichaud de prendre des risques non calculés bien qu'il ait le sens et le goût des actions spectaculaires, des défis à relever. Lorsqu'il devient couturier-conseil pour Fiorentino, la boutique de prêt-à-porter masculin qui vient d'ouvrir au-dessus de la sienne, rue Crescent, il ne sait pas encore que ce geste sera décisif pour son avenir et représentera un nouvel espoir pour la mode québécoise. Il y reçoit des clients célèbres du monde des affaires, du spectacle et de la politique. Paul Desmarais y croise Albert Millaire, Yoland Guérard, Jean Duceppe et Jean-Claude Delorme.

Aux dirigeants libéraux succéderont les péquistes. À Guy St-Pierre et à François Cloutier, psychiatre converti à la politique, succéderont Jacques Parizeau, qui voue une passion indéfectible aux gilets qui contribuent à lui donner un air conquérant, Rodrigue Biron et surtout René Lévesque. Ce dernier refusera toujours de porter des chemises à manches longues; il n'était pas des plus élégants mais il écoutait d'une oreille très attentive les commentaires de Michel Robichaud sur l'industrie de la mode québécoise. «Corinne Côté-Lévesque a beaucoup contribué à l'intérêt de monsieur Lévesque pour la mode, de dire Michel Robichaud. C'est une femme extrêmement brillante sous des airs timides, avec une logique et un esprit de synthèse exceptionnels.»

Appauvrie en formes et en couleurs cent cinquante ans plus tôt, la mode masculine s'était immobilisée dans cette modestie. Alors que la femme, versatile, capricieuse, se parait et se métamorphosait, l'homme, qui avait autrefois été paon ou perroquet, s'était fait corbeau. En se vêtant de noir comme pour un deuil les soirs de fête, il allait à l'encontre des règles de la nature où le mâle est volontiers multicolore. Les *sixties* allaient marquer un changement amorcé par les anti-modes façon zazous ou hippies, mais, malgré cela, l'homme chic québécois résiste même aux tentations italiennes: il reste fidèle au modèle anglo-saxon. C'est déjà surprenant s'il accepte que le sport morde sur la ville et que le tweed, les mocassins et le blouson de cuir entrent au bureau.

Les manufacturiers québécois du vêtement pour homme sont encore plus conservateurs que ceux du vêtement féminin, ce qui n'est pas peu dire. Michel Robichaud sait dans quel poussiéreux engrenage il met la main et combien il lui sera difficile d'y imposer un style, d'y amener une évolution. En 1976, au moment où il signe pour Empire Clothing une collection de prêt-à-porter masculin et pour Miller Shirts une collection de chemises et de peignoirs pour hommes, la bataille est loin d'être gagnée: il est plus facile de passer du col Mao au Rotary que le contraire!

En juin 1972, on pourrait croire que Michel Robichaud a gagné l'une de ses batailles. Montréal est nommée capitale de la mode lors d'un «Montréal-Mode» organisé par le gouvernement provincial et auquel participent plusieurs manufacturiers et six designers: Léo Chevalier, Elvia Gobbo, Vali Dubsky, Margaret Godfrey, John Warden et bien entendu Michel Robichaud. L'événement, auquel est invitée la presse américaine, est mis au point par Michèle Bussière, qui à cette époque travaille pour le gouvernement. La réussite est si remarquable qu'on reprend l'événement les deux années suivantes pour le transporter ensuite à New York en 1975.

«Nous ferons de Montréal le Paris d'Amérique parce que nous possédons un nombre étonnant de bons dessinateurs de mode et de bons ouvriers dont la province est fière», s'écrie Guy St-Pierre, alors ministre de l'Industrie et du Commerce du Québec.

Une cinquantaine de journalistes se déplacent de partout aux États-Unis: le *New York Times,* le *Herald Tribune,* le *Women's Wear Daily,* Chicago, Boston, Los

Angeles ont délégué leurs représentants. Ce week-end mode fait de manifestations, de défilés, de dîners, de rencontres avec les dessinateurs est tout à fait éblouissant. Tour à tour, les couturiers québécois rencontrent la presse américaine chez eux, Warden pour un cocktail rustique dans son appartement du Vieux-Montréal, Robichaud pour une dégustation de fraises et de champagne avenue des Pins où il habite toujours. L'événement, extrêmement bien organisé, aurait augmenté le prestige de la mode québécoise si on n'avait pas une fois encore mis la charrue avant les boeufs. «On était tous là à vouloir séduire et on séduisait effectivement mais on ne pouvait pas répondre aux commandes, on ne pouvait pas livrer la marchandise, explique Michel Robichaud. Très peu d'entre nous travaillaient avec des manufacturiers suffisamment sérieux et organisés pour envisager une diffusion canadienne, alors vous pensez bien qu'une diffusion américaine était le dernier de leurs soucis.»

Dans la foulée de Montréal-Mode et l'euphorie de ces années-là, une nouvelle association canadienne de dessinateurs de mode est formée en mai 1974. Michel Robichaud en est élu le premier président. Cette association, qui va fonctionner jusqu'en 1980, a pour membres fondateurs, outre Robichaud, Léo Chevalier, Marielle Fleury, Vali, Elvia Gobbo, Tom d'Auria, Donald Richer, John Warden, Hugh Garber, tous de Montréal, Pat McDonagh, Claire Haddad et Marilyn Brooks de Toronto. Elle s'est donné pour but: «de sauvegarder la valeur du dessin de mode; d'encourager les dessinateurs afin qu'ils accèdent à une reconnaissance internationale; de promouvoir l'industrie de la mode par tous les moyens d'information accessibles; d'établir un code d'éthique et des standards de qualité; de sensibiliser le commerce et le public par une approche positive et stimulante.» Les premières réunions se tiennent dans l'appartement de Mary Ste-

100

phenson, secrétaire de l'Association et consultante en mode et en mise en marché pour la maison Molyclaire, avec laquelle travaille à cette époque John Warden. Mary Stephenson donne généreusement son temps et fait preuve d'une constante diplomatie, essentielle lors de certaines réunions plutôt houleuses: l'ego de chacun n'est pas toujours facile à tempérer! Wayne Clark, de Toronto, et Gabriel Levy, de Vancouver, viendront se joindre à l'Association. Montréal en demeure le coeur mais les présentations des collections saisonnières alterneront entre Montréal et Toronto.

Février 1973. Dix ans de couture. Michel Robichaud présente treize créations, son chiffre fétiche, au cours d'un défilé jeune, désinvolte, simple, original et élégant: des robes de style chemisier à pois rouge et blanc, des jupes à plis, des tailleurs en gabardine de laine à veste cardigan, des robes du soir en soie à corsage blousant et diaphane particulièrement osé. Il est toujours l'enfant chéri de la mode. «Le roi, c'est le roi», commente Iona Monahan. Son objectif n'a pas changé: ce qu'il veut, c'est la démocratisation de la qualité. «Une mode faite pour nous, prête à marquer les tendances futures, une mode pour amorcer des idées, pour faire école, pour être confortable et portable», écrit Madeleine Dubuc dans *La Presse*.

Cette démocratisation de la mode, Michel Robichaud l'exprime aussi à travers les nombreux uniformes qu'il a réalisés tout au long de ses années de couture. Il commence d'ailleurs à faire des uniformes un an tout juste après l'ouverture de sa maison de l'avenue des Pins. Il conçoit alors le costume des hôtesses d'Air Canada en vert forêt (une de ses couleurs préférées), bouleversant ainsi la tradition du marine; une robe à encolure bateau turquoise et blanc remplace le tailleur vert quand les beaux jours arrivent.

L'année suivante, il dessine en gris fumé

l'uniforme du personnel des services publics dans les aéroports. Puis c'est l'Exposition universelle; il est chargé de réaliser l'uniforme officiel des hôtesses: un ensemble trois-pièces bleu glacier et blanc porté avec un béret boule, à tranches bleu glacier, bleu foncé et blanches et accompagné d'un imper blanc à cagoule détachable. Il crée aussi le costume des hôtesses du Pavillon du Canada, du Pavillon de l'Allemagne, de celui des Indiens aux broderies à motifs géométriques orange, brun et beige, de celui de Bell Canada, et d'autres encore.

Il réalisera aussi le costume des hôtesses de Nordair, celui des employés de la Banque Canadienne Impériale de Commerce, de plusieurs ministères du gouvernement du Canada, des hôtels Le Quatre Saisons et Sheraton, des Rôtisseries Saint-Hubert et puis, tout dernièrement, celui du personnel de Via Rail, un trois-pièces à dominantes bordeaux et gris. Dans le grand chavirement qui bouleverse dans les années soixante-dix jusqu'aux habits religieux, il est appelé en consultation par les Soeurs du Bon-Conseil, les Soeurs Grises et les Soeurs des Saints Noms de Jésus et de Marie. Il ne mâche pas ses mots. Comment, dit-il, peut-on penser attirer dans une communauté des jeunes filles modernes si l'image qu'on leur propsoe de donner d'elles-mêmes est celle de femmes du passé?

Avant de réaliser le pantalon noir fuselé et la longue tunique blanche gansée de noir des hôtesses du Grand Prix du Canada en 1979, il forme un *design team* avec Léo Chevalier, Marielle Fleury et John Warden. Ensemble, ils s'attaquent aux quatorze mille costumes des Jeux olympiques de 1976, de ceux des placiers à ceux des juges, de ceux des responsables de l'entretien à ceux des hôtesses. Le Comité organisateur des Jeux olympiques avait un temps pensé à confier la tâche à Courrèges qui avait dessiné les costumes des Jeux de Munich mais il avait abandonné cette «brillante» idée. «C'était formidable, rapporte Michel Robichaud. On avait mis nos talents ensemble, on utilisait toute notre expérience. C'est à ma connaissance l'une des rares fois où des couturiers ont été appelés à travailler de concert pour réaliser une oeuvre commune.»

L'uniforme est plus fonctionnel, plus contraignant que le vêtement. C'est un service et une image corporative. Mais Michel Robichaud n'a pas cessé d'en dessiner et tout le monde y a trouvé sa mesure. Il créera également des habits de scène, confrontant son expérience à de nouvelles exigences — celles du théâtre, du cinéma et de la télévision.

À la scène, les couturiers ont toujours été à l'honneur. Le costume de Sarah Bernhardt dans *L'Aiglon* était signé Paul Poiret; le vison doublé de violettes de Marlene Dietrich, dans *No Highway in the Sky,* Pierre Balmain; la robe corolle d'Audrey Hepburn, dans *Breakfast at Tiffany's,* Givenchy; le pardessus beige de Robert de Niro, dans *Les Incorruptibles,* Armani, comme tous les costumes de Richard Gere dans *American Gigolo;* enfin Saint Laurent lui-même déchaîna des typhons de plumes autour de Zizi Jeanmaire.

Le cinéma et le théâtre sont riches d'enseignements. Michel Robichaud s'y frottera à son tour et dessinera les costumes de la piquante comédie de Marc-Gilbert Sauvageon *Treize à table* présentée au Rideau-Vert, ceux de l'intimiste *Pauvre Amour* de Marcel Dubé à la Comédie-Canadienne, sans oublier les films *À tout prendre* de Claude Jutra et *The Heatwave Lasted Four Days* avec Alexandra Stewart.

Sur scène, il faut transposer la réalité. Privilégier le costume «à effet», celui qui met en valeur la psychologie du personnage, le tempérament de l'interprète, le goût du metteur en scène, les nuances du décor, les subtilités de la couleur et de la lumière. À la scène, les détails n'ont aucune importance; tout est dans l'effet, la silhouette, la couleur qui souligne la personnalité de l'acteur ou de l'actrice. Mais il ne faut pas oublier le confort et la solidité des vêtements, car les costumes devront être réendossés bien des fois et l'acteur devra toujours s'y trouver à l'aise et être capable d'effectuer des mouvements amples.

Au cinéma, l'épreuve consiste d'abord à rester à la mode pendant une longue période. Dans *À tout prendre,* le mannequin Johanne Harelle jouait son propre personnage et dans *The Heat-wave Lasted Four Days*, Alexandra Stewart était directrice de boutique. Restait l'autre problème: l'oeil de la caméra et la dimension de l'écran. Contrairement au théâtre, qui néglige le détail puisque le costume est destiné à être admiré de loin, le cinéma impose la subtilité, le raffinement. Ce n'est pas tant la ligne de l'ensemble qui compte, c'est un détail de cette ligne, l'effet d'un tissu, la qualité de la confection et surtout les couleurs. Quant à la télévision, art du gros plan, les problèmes qu'elle pose sont résolument identiques à ceux du cinéma.

*Treize à table*, le chiffre porte-bonheur de Michel Robichaud, se passait dans un seul lieu, un décor de Robert Prévost, avec trois comédiennes qui représentaient des types féminins très différents: une Denyse Saint-Pierre enjouée, pétillante, en taffetas d'organza vert émeraude à jupe ample et taille cintrée dont l'ampleur projetée vers l'arrière la faisait paraître plus élancée; une Denise Pelletier extravagante, dramatique, dans une robe de satin noir et gris perle à taille haute de style Empire piquée d'un gros bijou; une Yvette Brind'Amour posée, raisonnable, sûre d'elle-même, en robe bouton d'or de ligne princesse dont les manches pagode se terminaient par trois volants de satin blanc, café et noir. Plus intimiste, la pièce de Marcel Dubé *Pauvre Amour* mettait en scène des comédiens habillés en prêt-à-porter Michel Robichaud, *of course,* et Louise Marleau, ravissante en Robichaud couture: une robe de mousseline rose agrémentée de plumes d'autruche.

Alexandra Stewart en tailleur safari Robichaud tourna la majorité des scènes de son film dans la boutique de celui-ci, rebaptisée, pour l'occasion, «Barbara»; cela rappelait à Michel le temps pas si lointain où Sophia Loren jouait dans un film tourné chez Guy Laroche, à Paris, à l'époque où il y travaillait. On ne peut guère oublier le smoking blanc de Carole Laure dans un film de Gilles Carle, l'imper en soie broché d'Andrée Lachapelle chantant l'air des *Parapluies de Cherbourg* dans une émission spéciale consacrée à Michel Legrand, la robe orangée à profond décolleté d'Élaine Bédard dans la même émission, et toutes les robes de ces animatrices: Michelle Tisseyre, Aline Desjardins, Geneviève Bujold, qui imposèrent la mode nouvelle et donnèrent le ton. On ne saurait oublier enfin, puisque nous sommes chez les stars, la plus grande: madame Taylor elle-même.

La rencontre de Michel Robichaud avec Elizabeth Taylor est entrée dans la légende. Avec la naïveté de ses vingt-trois ans, Michel Robichaud, qui avait appris son passage à Toronto avec Richard Burton et le fait qu'elle gardait la chambre, disait-on, à cause d'une égratignure à la joue, décida de lui écrire: «C'est bien dommage qu'une jolie femme comme vous reste enfermée dans sa suite alors que j'ai de si jolies toilettes à lui montrer.» Cela ne s'invente pas. Luce qui avait lu par-dessus son épaule, s'était exclamée: «Tu ne vas pas écrire des trucs pareils à ton âge! Tu crois encore au Père Noël!» Michel s'était bien dit que Luce avait raison, que ça n'avait pas de sens, mais il avait décidé d'aller jusqu'au bout de son idée: il avait posté la lettre avec quelques croquis puis avait oublié tout ça. Même

Luce, qui normalement veillait à tout, n'y avait plus pensé jusqu'au moment où le secrétaire de madame Taylor avait téléphoné à Michel Robichaud pour le convoquer au Ritz-Carlton de Montréal où elle devait venir se marier secrètement avec Richard Burton. Caprice de star aussitôt murmuré, aussitôt exaucé. Michel se présenta le jour dit et reçut en retour le choc des fabuleux yeux mauves, succomba à la gentillesse de la star. «Elle ne parlait pas beaucoup, elle était silencieuse et calme, comme subjuguée par son nouvel époux qui, volubile, exubérant, charmant, s'exprimait dans un excellent français.» Comme Richard Burton jouait *Hamlet* à Toronto, Elizabeth Taylor y fit ses essayages et invita Luce et Michel à assister à ladite pièce. Ils n'ont rien oublié de ces instants magiques.

L'image, fugace par excellence, reflétant beauté, rêve, illusion, c'est celle des mannequins. Victorieuses, toute féminité affichée, elles ont incarné, au cours des années, les différentes versions de l'idéal Robichaud. Mais toutes devaient «comprendre» les modèles, savoir les faire apprécier et s'effacer derrière eux. Certaines sont cependant de fortes têtes et n'hésitent pas à faire leur numéro. Il faut rester vigilant, les rappeler à l'ordre car elles peuvent engendrer un insupportable malaise alors qu'une présentation de collection établit sa cohérence en fonction d'une harmonie d'ensemble.

Un défilé n'est d'ailleurs pas une sinécure, il exige de la planification, de l'organisation. Il faut tout craindre et tout prévoir jusqu'à la dernière seconde. Veiller à ce que les robes soient livrées puis suspendues à leur place, impeccables, dans la «cabine», que les accessoires qui doivent accompagner les toilettes du défilé soient prêts, que toutes «les filles» se présentent à l'heure, maquillées, coiffées et divines... car les tourments de la vie, les intermittences du coeur et les soucis du quotidien ne doivent en aucun cas avoir de prise sur elles. Il faut veiller à ce que la musique commence et finisse juste au bon moment, à ce que le rythme soit enlevé, le tout d'une grande aisance et d'une coordination sans faille.

Difficiles, énervants, épuisants, passionnants, les défilés ont un but avoué: faire connaître le créateur et vendre sa collection. L'homme d'affaires Pierre Des-Marais II et sa femme n'ont jamais raté un seul défilé de Michel Robichaud, faisant ainsi la preuve que la mode est un phénomène culturel qui nécessite l'appui de la société. Si le plus beau défilé, le meilleur, le plus réussi est toujours le dernier, le public qui se veut le plus international est certainement à Montréal; le plus *bon chic bon genre* à Québec; le plus chaleureux à Chicoutimi: le plus étonnant à Vancouver; le plus d'affaires à Toronto; le plus diplomatique à Ottawa; on ne peut s'y tromper.

Cet homme désinvolte et grave prend ses rêves très au sérieux. À l'occasion de ses dix ans dans la couture, il est invité par Lise Payette qui anime un *talk-show* tous les soirs à vingt-trois heures à la télévision de Radio-Canada. Elle lui demande: «Vous qui avez déjà tout, que pouvez-vous encore désirer?» La réponse fuse: «Un parfum qui porte mon nom!» Il est entendu. Dès le lendemain, le président de Canada Drug lui téléphone: «Nous aussi nous voulons un parfum et nous aimerions le faire avec vous.» Une nouvelle aventure commence, sous le signe des parfums et d'une ligne de produits de toilette, par laquelle Michel cherche à dépasser les frontières de sa spécialité.

Les parfums ont une histoire qui remonte à l'Antiquité. Dans le livre qu'il consacre à Chanel, Jean Lemayrie en rappelle les principaux épisodes. L'Inde bouddhiste lavait les statues de ses dieux avec des eaux parfumées. En Égypte, les prêtres brûlaient dans les temples des essences différentes selon les moments du jour. *Le Cantique des cantiques* n'est pas qu'un hymne à l'amour: il célèbre aussi les aromates, et la pécheresse qui répand sur les pieds de Jésus une livre de nard, le parfum le plus précieux de l'époque, accomplit le geste d'amour et de purification qui la sauve, même si les disciples jugent la dépense excessive. La Grèce perfectionna l'art cosmétique en ajoutant des résines obtenues à partir des huiles des fleurs.

À Rome, Néron dormait sur un lit de pétales de roses; il était fou des parfums. Partout, les cassolettes exhalaient la fumée capiteuse d'où le mot parfum tire son étymologie. Après quelques siècles d'éclipse, pendant lesquels l'Église les réserve pour le culte, les parfums resurgirent avec le butin des Croisades. Ils furent d'origine animale ou végétale jusqu'à la fin du XIX$^e$ siècle. Vers 1380, on utilisait l'alcool pur dans la composition de l'eau de Hongrie, de même qu'en 1742, pour l'eau de Cologne qu'adopta Napoléon.

Mais le parfum perd son caractère sacré pour devenir un objet esthétique qui, au XX$^e$ siècle, contribuera à faire connaître la griffe d'un couturier qui se fera un nom avec une odeur. Par ailleurs, la haute couture étant le secteur le moins rentable de la mode, les parfums serviront à faire affluer l'argent dans les caisses; leur chiffre de ventes demeurera cependant encore plus secret que le sacro-saint secret de leur fabrication. Presque tous les couturiers français, italiens, américains et même canadiens qui se sont fait un nom se laissent tenter par les parfums, ces accents très féminins qui constituent la dernière touche d'élégance, ou la première. Avec le parfum, le couturier sait bien qu'il vend ou bien une image de simplicité, de discrétion et de fraîcheur, ou bien une image de maturité, de passion et de sophistication. Le parfum est ce souffle d'élégance essentiel qui fait dire à Paul Valéry: «Une femme qui ne se parfume pas n'a pas d'avenir.»

Le premier, Paul Poiret associa la couture à la parfumerie. Chanel, avec le même élan que pour la mode, fit de son *N° 5* une vedette. Comme toute réussite artistique, un bon parfum est le résultat de la conjonction de la technique et de l'inspiration. Des maîtres parfumeurs combinent dans des laboratoires les produits de synthèse issus de la chimie organique et les essences absolues, extraits concentrés de fleurs rares. L'une des plus célèbres maisons de parfums est la maison Givaudan, qui a ses ateliers à Grasse, sur la Côte d'Azur, et gère également une succursale à New York.

«On fit venir à Montréal un de leurs *nez*, comme on dit, raconte Michel Robichaud. En une conversation, il avait compris ce que je voulais. Il avait compris que ce que je souhaitais, c'était un parfum très léger qui tienne malgré l'humidité de l'air, un parfum de fleurs et de verdure. Le *nez* composa alors quelques mélanges. Nous allions en retenir un, un bouquet moderne fait de muguet des bois, de jacinthe, de gardénia, de narcisse, de jasmin et de la rose du sud de la France, alliés à certains éléments herbacés, de la mousse de chêne de Yougoslavie et des résines d'Asie mineure, pour en intensifier le caractère de fraîcheur.»

Il fallait encore concevoir le flacon. Chaque époque a sa façon de présenter les parfums. Aux réceptacles en bois ou en ivoire et aux vases en verre polychrome de l'art égyptien, Rome préférait les cornes de rhinocéros; la Renaissance, la pomme d'ambre; le XVIIIe siècle, les boîtes en vermeil; le romantisme, les médaillons; et la société de 1880, le cristal signé Lalique. Michel Robichaud choisit une ligne de flacons à bouchon doré cubique et un emballage marron doré qui sera utilisé pour toute une gamme de produits: eau de toilette, savon, lotion pour les mains et pour le corps, huile de bain, voile parfumé et shampooing pour le corps. Reste à donner un nom à cette nouvelle ligne de produits de beauté. La légende veut que Michel Robichaud l'ait trouvé à la campagne, au cours d'une promenade, à ce moment où le ciel prend des tons d'or sombre, à la «brunante».

«Montréal a son parfum et c'est Michel Robichaud qui le lui offre!» écrit avec enthousiasme la journaliste Madeleine Dubuc. Et la fête qui, le 7 décembre 1973, réunit plus de cinq cents personnes sur les trois étages de la maison de la rue Crescent, transformée en tente arabe par la magie de Claude-André Piquette, décorateur, est une nuit féérique, une nuit pleine de rêve et de champagne. On a l'impression de rouler dans un flacon d'ivresse à laquelle ne sont pas étrangères les deux cents bouteilles de champagne brut de Charles Heidseick. Des mannequins vêtues de longues robes de mousseline brun cuivré garnies de plumes de même couleur circulent, souples et vaporeuses, parmi les invités du monde de la politique, des affaires et du spectacle, et rappellent comme si cela était nécessaire que l'hôte parfumeur est aussi couturier.

«*There is a sense of luxury and that curious and wonderful couture aura about his design. He has achieved what very few designers in Canada will ever do – a fashion personnality*», écrit Keitha Mclean dans le *Women's Wear Daily*. Le commentaire sera repris quelques mois plus tard dans le *Times*.

Bâtir une continuité n'est pas une mince affaire; cela prend du temps. Pendant quelques années encore, Michel Robichaud, s'il a définitivement mis un terme à la couture sur mesure, continue de travailler dans sa boutique. Mais déjà s'est amorcé dans sa carrière un virage irréversible qui, grâce aux licences, à l'utilisation de son nom, va imposer sa griffe mais aussi peut-être en faire davantage un homme d'affaires qu'un créateur; certains ne se feront pas faute de le lui reprocher.

Ces années-là sont difficiles. Il avait habitué sa clientèle à une attention soutenue; elle va continuer de l'exiger. Certaines femmes achètent des vêtements en solde à la boutique et réclament la présence du couturier. La mode se fait de plus en plus folle et le bon chic bon genre cher à Michel Robichaud devient moins en demande. D'autres couturiers qui ont le *modern twist* lui font une chaude lutte. Un couturier chasse l'autre, surtout dans la faveur des journalistes, c'est un phénomène bien connu. De même qu'on a vu tout dernièrement dans le ciel de la couture parisienne pâlir l'étoile de Saint Laurent et se lever celle de Christian Lacroix qui a ressuscité son éclat en tablant sur des extravagances et des exubérances faites de poufs, de crinolines et de cols drapés, de même, à cette époque, les tailleurs indestructibles, les impers passe-partout, fussent-ils réversibles, les robes raffinées et sobres de Michel Robichaud, s'ils ont toujours leurs inconditionnelles, ne correspondent plus tout à fait au goût du temps. Les acheteurs sollicités de toutes parts réduisent leurs commandes et la presse préfère photographier des modèles plus insolites ou plus frappants.

Robichaud a-t-il vieilli? Il est d'hier, d'aujourd'hui, de demain; c'est un classique. Mais la mode est une question de sensibilité du moment. Vous pouvez prôner des principes d'élégance, de charme et de confort; les femmes s'en moqueront si elles ont envie d'autre chose. L'important, ce n'est donc pas un style mais un look, un *mood,* un concept et, dans ce métier, il est bien rare qu'on soit le meilleur une fois pour toutes. Chaque année, le défilé de couture vous donne une cote et, s'il est bien possible que vous en sortiez une fois encore premier, il arrive aussi que vous retombiez dans la masse. Ce qui est remarquable dans l'histoire de Robichaud, c'est que s'il n'est pas toujours resté en tête du peloton, il a toujours été le premier par son élégance.

C'est lui qui a dressé la voie d'une tradition de la mode québécoise, qui le premier a pris le virage industriel, travaillé avec un manufacturier puis plusieurs, ouvert boutique, créé son parfum, développé des licences. Il a exploré la couture sous toutes ses coutures, avec ses bonheurs mais aussi ses coups durs, ses moments creux, ses illusions perdues. «C'est un bûcheur, un travailleur acharné», constate Michèle Bussière, qui s'y connaît elle-même en travail.

Tout au long des années soixante-dix et bien après, dans les années quatre-vingt, il présente des défilés qui impliquent de trop grandes dépenses d'énergie et d'argent mais qui sont une fête indispensable, un déploiement de couleurs et de lignes, un spectacle visuel passionnant. En été 1975, c'est la vogue des marinières et des jupes froncées, des robes de nuit abricot ou écru que les élégantes portent en robes du soir tant elles sont merveilleuses. À l'automne de la même année, on fait place à la ligne tube rafraîchissante, souple, sensuelle.

Le 26 février 1976, pour ses treize ans dans la couture, Michel Robichaud offre au Windsor, en présence de madame Robert Bourassa, treize tableaux masculin/féminin en cent modèles de prêt-à-porter. Cette fois, il n'est pas question de superstition; c'est tout simplement que le quatorzième mannequin qu'on attendait n'est jamais arrivé...

13 février 1978. Quinze ans après son entrée dans le monde de la couture, Michel Robichaud ferme sa boutique de la rue Crescent au cours d'une de ces fêtes grandioses dont il a l'habitude. Madame Fiquet, sa directrice, qui venait d'être opérée à un genou, avoue aujourd'hui: «J'étais contente de ne pas être là; j'avais du chagrin pour nous, pour lui, car je suis bien certaine qu'il avait lui aussi le coeur gros même s'il ne le

montrait guère.» Tiraillé entre ses rêves, il affirme cependant: «On ferme pour mieux avancer.» Mais ne dit-on pas toujours des choses semblables dans ces moments-là?

Pendant quelques années, Michel Robichaud officie sur la rue Crescent, puis il emménage avenue du Parc, en haut de la rue Fairmount, dans un quartier à caractère plus industriel. Il s'installe dans un bureau à angles droits dont le caractère sérieux est adouci par les harmonies en gris et les sérigraphies de Louis Jaque qui chantent sur les murs.

Si le talent est essentiel pour attirer l'attention des médias, encore faut-il qu'il s'appuie sur une réalité industrielle et commerciale. Sans cela, des articles louangeurs ne servent ni la cause du créateur ni celle de la mode. Il faut qu'il y ait correspondance entre l'offre et la réalité. Michel Robichaud s'acharne à établir cette correspondance à travers les divers débouchés de la création de mode.

C'est alors qu'arrive son ancien copain français, Jacques Brunel. Ce dernier vient tout juste de quitter le Groupe Boussac, auquel appartient Christian Dior, entre autres, ainsi que de nombreuses sociétés manufacturières de vêtements féminins et masculins et de tissus connus dans le monde entier.

Homme de coulisses, de contacts et, quand il le faut, de décisions, Jacques Brunel devient le directeur de mise en marché de la griffe Robichaud. Cet homme à la poigne de fer, veille au grain. Travailleur acharné, méticuleux et précis, dévoué et profondément honnête, il est parfois contesté: âme damnée ou bon ange?

Son influence sur Michel Robichaud est incontestablement bénéfique. «On ne se fait pas de faveurs, remarque Michel. Monsieur Brunel va à l'essentiel, sans détours. Il m'analyse brutalement parfois, essaie de me passer ses idées comme j'essaie de lui passer les miennes; la force de celles qu'on réalise après coup tient souvent au fait qu'elles ont été passées au crible de son implacable logique.»

La haute couture est un gouffre financier où les produits dérivés – en réalité les principaux – constituent des sources de profit. Du prêt-à-porter féminin au prêt-à-porter masculin, Michel Robichaud passe aux vêtements de nuit et de détente, aux maillots de bain et aux vêtements de plage, aux fourrures, aux foulards et aux gants, aux bas et aux collants, et enfin aux bijoux.

«La couture est un métier... un métier poétique», disait Yves Saint Laurent, mais il remarquait aussi: «Un vêtement réussi doit être reproduit.» Cela est vrai aussi pour les accessoires.

Michel Robichaud se familiarise avec les techniques de production et les impératifs de la vente sous licence. Rien de licencieux là-dedans. L'expression «vente sous licence» signifie que les collections dessinées par le couturier portent son nom: la fabrication et la distribution sont assurées par les licenciés, qui profitent ainsi de la réputation du couturier mais lui offrent en échange leur technique, chacun devant y trouver son avantage.

Un couturier peut-il se permettre toutes les licences? Dior, qui fut le précurseur dans les années cinquante de cette technique de vente et dont la maison compte aujourd'hui cinquante-neuf lignes de produits, cent soixante licences et quatorze filiales, avait coutume de dire: «Une femme doit sortir de chez moi habillée de pied en cap, avec un petit cadeau pour un ami.» Mais c'est Cardin qui, jonglant avec les griffes et les continents, est le recordman de la diversification: cinq cent quatre-vingt-quinze licences dans quatre-vingt-treize pays pour cent cinquante produits qui vont du vin au chocolat en passant par le rasoir et la laine à tricoter, sans oublier les sardines et les parfums; il fut même un temps banni de la sacro-sainte Chambre syndicale de la couture parisienne pour avoir osé galvauder sa griffe sur des terrains incongrus.

On a beau jeu aujourd'hui de faire la fine bouche: les couturiers ont depuis longtemps réglé leur compte aux idées reçues à force de risquer leur nom dans les licences et les accessoires les plus divers. Courrèges, par exemple, ne créa-t-il pas pêle-mêle des vélos pour Peugeot, des appareils-photo pour Minolta, des salles de bains et, récemment, des complexes domiciliaires? Si les produits dérivés de la mode fournissent de substantiels bénéfices, le plus grand succès, c'est encore le parfum. Les grandes maisons de couture ont toutes les leurs.

Ces grandes maisons sont presque toutes rattachées à des holdings financiers extrêmement puissants. Boussac, le roi du coton, a été acheté, comme Dior, par la Financière Agache dont le président, Bernard Arnault, sûr de lui, a décidé après vingt ans pendant lesquels personne n'avait osé s'y risquer d'ouvrir la vingt-cinquième maison de couture parisienne et d'investir quelque huit millions de dollars sur la tête de Christian Lacroix. Courrèges appartenait à l'Oréal avant que les Japonais n'injectent des capitaux dans l'affaire. Guy Laroche est sous le contrôle de la multinationale Bic, qui s'est bâti un nom avec un briquet et un stylo; Balmain appartient à un Canadien; Yves Saint Laurent est propriétaire de sa maison et de ses parfums avec Pierre Bergé, son associé, ayant racheté, fin 1987, le groupe américain Charles of the Ritz qui possédait ses parfums. Coût de l'opération: cinq cents millions de dollars. La haute couture est un gouffre à millions; mais ses activités dérivées rapportent des montagnes d'argent.

Et Robichaud? Cet éternel solitaire a connu quelques expériences désastreuses avec ses manufactures licenciées. Soit on l'utilise pour lui voler sa clientèle, soit on fabrique si mal les vêtements qu'à peine livrés on doit les renvoyer à l'usine, soit encore, après avoir obtenu un prêt gouvernemental de deux cent cinquante mille dollars grâce à son nom, on fait faillite et on sort la collection en catimini pour la faire fabriquer ailleurs! «On l'a appris quand les scellés étaient déjà posés!» s'exclame Michel Robichaud, encore indigné. Mais il a la tête dure et se dit  qu'on ne peut quand même pas toujours tomber sur des filous. Bien sûr, certains lui reprochent d'avoir dénaturé sa griffe. Soutenu par son prêt-à-porter féminin et masculin et ses accessoires les plus divers, le tout noyé dans le jus de jasmin et les rouges (à lèvres et à ongles), son nom est maintenant, à travers tout le Canada, une filière devenue filon. Il a aimanté sa boussole sur l'industrie; cette direction était la bonne.

# 6

# *Vie privée*

Si le style, c'est l'homme, l'homme, c'est d'abord une vie.

Le 2 mars 1963, le très sérieux *Devoir* titre: «À 23 ans, il lance sa première collection de couture et fait un mariage d'amour». Luce et Michel Robichaud, c'est, d'une certaine façon, l'histoire d'un coup de foudre longue durée. Au temps de l'École des métiers commerciaux, Lucienne Lafrenière, dite Luce, voit la photo de Michel dans la *Revue Moderne;* il a dessiné la robe que Michelle Tisseyre, reine de la radio-télévision québécoise, portera au Gala des Splendeurs. La flèche de Cupidon l'atteint. Elle aime ce jeune homme aux lunettes d'écaille (il ne porte pas encore de verres de contact) et aux joues rondes, au visage encore enfantin; elle est certaine qu'«avec lui, ce sera pour longtemps». Luce est déterminée à le séduire.

Plus jeune, influencée par les conversations de son père, directeur du Centre Domrémy-Trois-Rivières, elle voulait devenir travailleuse sociale dans une clinique. Mais elle décide de verser dans l'esthétique et d'ouvrir plutôt un salon de beauté. La voilà partie pour Montréal, à la conquête de Michel par cours de coiffure interposé. «Je n'avais pas beaucoup d'aptitudes, avoue-t-elle; je n'étais même pas capable de faire une bouclette correctement.»

Grâce à la campagne du Prêt d'Honneur, ils vont se rencontrer. Luce porte ce jour-là une jupe en paisley bleu et noir et un chandail noir à col roulé. Elle a un sourire d'autant plus irrésistible qu'il est discret, seulement ébauché, et un regard à la fois malicieux et inquiet. Quant à savoir ce qui se cache derrière ce large front bombé... bien malin qui le devinera.

Durant ses études, elle habite chez les Soeurs du Bon-Conseil, boulevard Dorchester, où elle partage une chambre avec une étudiante du Conservatoire de musique, Gloria White, qui est violoncelliste. Michel lui dessine une très jolie carte pour Noël: c'est un bouquet stylisé aux couleurs de la fête. Il y ajoute «un mot extraordinaire» (dixit Luce) et une croix en émail sur cuivre qu'il a conçue lui-même et qui fait merveille sur son col roulé noir; les filles de l'École en sont vertes de jalousie. Et cette enfant gâtée, choyée, qui a l'habitude de tout avoir à la maison, soupire: «Je n'aurais rien eu d'autre, ça faisait mon Noël!»

Est-ce là une promesse de bonheur? Si oui, c'est une promesse fragile car, bénéficiaire d'une bourse du gouvernement québécois, Michel va quelque temps après aller étudier la couture à Paris. Luce fait contre mauvaise fortune bon coeur: elle organise en son honneur une gentille fête. Elle invite Serge et Réal, qui deviendront eux aussi couturiers, et offre à Michel des boutons de manchette dessinés par Walter Schluep, le joaillier dont on parle. Pour la remercier, de Paris, il lui envoie des gants de chevreau noir très fins, très longs, griffés Dior, qu'elle portera longtemps avec le très joli manteau de mohair beige à taille basse et manches chauve-souris qu'il lui a confectionné du temps de l'École.

Elle se rend indispensable à distance. Elle lui envoie du sucre à la crème, de menus cadeaux. Ils s'écrivent toutes les semaines. Dix-huit mois passent.

Chez les Lafrenière, Noël c'est la course au trésor. Les parents aiment combler leurs deux enfants, Luce et Jean, son cadet de quinze mois. On s'offre beaucoup de petits cadeaux, qui en annoncent un plus gros qu'il faut deviner et trouver. Ce 25 décembre-là, Luce déballe une trousse de voyage, des jumelles de théâtre, un jeu de valises; elle ne se doute pas encore que dans une boule accrochée à l'arbre, elle trouvera un billet pour Paris.

Trois mois plus tard, sagement chaperonnée par une amie de la famille, elle arrive au numéro 4 de la rue Denis-Poisson dans le XVI$^e$ arrondissement, chez des cousins des Pinget. Les de Posse sont issus d'une famille noble d'Espagne; ils habitent, depuis trois générations, un magnifique appartement aux murs lambrissés, aux rideaux de velours, à l'argenterie étincelante. Luce, qui ressemble étrangement à cette époque-là à Audrey Hepburn, se fait coiffer chez Carita (les soeurs Carita font la tête de toutes les stars) et porte bien sûr son manteau de mohair avec les gants offerts par Michel.

Discipliné, organisé, Michel lui a établi un programme très chargé, bien décidé, semble-t-il, à lui faire découvrir en quinze jours ce qu'il a mis près de deux ans à connaître. Ce sont donc de longues promenades exténuantes et tendues dans la morne grisaille de Paris au mois de mars. Elle a mal aux pieds, elle est fatiguée. Non, elle n'aime pas les terrasses des cafés parisiens, qu'elle trouve trop bruyantes. Oui, elle a froid! Elle ne s'habitue pas à cette humidité qui la transperce. Elle porte le grand chandail en mohair de Michel, celui qu'elle lui a tricoté, et s'achète un bonnet de laine noir. «Tu ne vas tout de même pas porter ça?» lui demande-t-il. Elle ne cède pas. Pourquoi lui faudrait-il jouer un personnage?

Elle repart avec un sentiment doux-amer. Elle a passé de merveilleux moments, vu beaucoup de choses, retrouvé l'amitié d'antan mais pas toujours reconnu dans ce jeune homme policé, qui parle pointu, le tendre ami de Montréal. Il paraît bien intégré à la vie parisienne, il a déjà à Paris ses habitudes et ses amis, elle est persuadée que son avenir est là-bas. Ils continuent de s'écrire, fidèlement, toutes les semaines. Puis, les lettres s'espacent, ce qui semble confirmer que les liens les plus doux sont en train de se distendre. Elle se trompe. Elle reçoit une lettre où il lui reproche de ne pas aller voir assez souvent ses parents. Et dans une autre, enfin, il lui avoue qu'il l'aime, qu'il veut faire sa vie avec elle, si elle le veut bien, et qu'il rentre au pays. Définitivement.

L'amour est là, la vie aussi. Luce va s'engager immédiatement non seulement dans leur vie de couple mais aussi dans la vie professionnelle de Michel. Par l'entremise de son oncle, Luce a rencontré un jeune couturier, René Baron; il lui parle du docteur Lavallée. À son tour, elle en parle à Michel qui, à peine rentré, pas encore installé, prend rendez-vous avec lui. On sait ce qu'il adviendra. Le travail commence dans l'appartement que Luce occupe à l'angle des rues Sherbrooke et Guy, tout à côté du salon de coiffure Denyse Saint-Pierre où elle travaille et où elle développera avec ses patrons, Denyse Saint-Pierre et Paul Colbert, d'indéfectibles liens d'amitié.

C'est dans la salle à manger de Luce transformée en atelier que sont créés les premiers modèles, que sont effectués les premiers essayages, que se développent lentement les éléments d'une première collection qui sera présentée à la presse en février. Pris par les projets, le travail, l'installation de l'appartement de l'avenue des Pins, la coordination, les préparatifs puis la présentation de la collection, Luce et Michel n'ont guère le temps de penser à eux.

Ils se marient un jour de mars 1963, un mois après l'ouverture de la maison de couture, à la chapelle du Sacré-Coeur de l'église Notre-Dame. Elle porte une robe-manteau rose, signée Robichaud, bien sûr, en lainage tissé panier de Lesur, garnie de surpiqûres et d'une martingale ornée de deux gros boutons, un béret de paille blanche garni d'un noeud rose, et tient un bouquet de violettes à la main. Il n'y aura pas de voyage de noces. Pris dans la fièvre des collections et de l'ouverture toute récente de la maison, ils n'ont pas le temps. Et quand ils voudront partir, que les billets d'avion seront réservés, Air Canada demandera à Michel de réaliser les costumes de ses hôtesses.

L'histoire de cette union leur appartient. Mariage patiemment construit, où chacun s'est attaché à accepter, à assumer les failles de l'autre, les zones d'ombre de sa personnalité. «Je ne voudrais pas jouer les innocentes et clamer: «Tout est parfait, tout est beau», remarque Luce avec ce charmant sourire timide que les ans n'ont en rien altéré, mais on a beaucoup de plaisir ensemble.» Et Michel d'ajouter: «Si je n'avais pas été fier de notre vie, de comprendre les besoins de Luce, de savoir l'aimer et de la rendre heureuse, je n'aurais pas pu progresser.»

Dans un couple, on tient forcément compte de l'autre. Entre ses désirs et la réalité, il y a toujours des accommodements possibles. Luce et Michel sont sur une même longueur d'ondes: ils ont noué au fil des années des liens fondés sur une grande compréhension mutuelle. Luce partage la vie de Michel d'une façon très présente.

Depuis vingt-cinq ans, ils sont unis, complices, complémentaires. Ils aiment la même musique, le même genre de vie. Ils ont besoin de nature et de vie saine, et comblent ce besoin en passant tous les week-ends dans leur ferme, une demeure de vacances située dans la campagne odorante et luxuriante de la Mauricie.

Le cadre de vie d'un artiste, plus encore que celui d'un autre homme, apporte mille informations sur son tempérament, sur son univers esthétique, sur le pourquoi des choses. Michel Robichaud, passionné d'art, d'architecture, de décoration, s'est créé un espace qui ressemble à sa mode: clair, net et serein, où une grande attention est accordée aux détails.

Aucune image de luxe ou de vie facile n'a traversé son enfance. Bien qu'il ait vécu vingt ans rue Laurier, à Montréal, il semble que ce soit à Saint-Denis de Kamouraska qu'il ait trouvé ses racines: là, sur le flanc de la route, se trouve la vraie maison de famille, celle des ancêtres, avec son grand balcon encerclant les murs de pierre grise et son fronton de bois dentelé. Un jour, il a fait le voyage spécialement pour la montrer à Luce.

À Paris, il s'efforce de s'inspirer des principes décoratifs qui règnent dans les milieux qu'il fréquente. Il s'étonne et s'émerveille du luxe des maisons bourgeoises qu'il décrit avec précision dans les lettres qu'il envoie à sa famille.

Mais le vrai choc, le plus profond, il le reçoit dans ces salons de couture qui sont l'écrin d'un monde feutré  respirant le luxe, l'élégance et le raffinement indéfinissable qui l'impressionne tant et qu'il essaie de recréer dans ses propres salons de l'avenue des Pins. Le premier habitat d'un artiste, le plus vrai, n'est-il pas celui où il travaille?

Cependant la sophistication est une discipline difficile pour un débutant, puisque la réussite même de l'effet produit tient à l'équilibre entre un décor simple et une gamme de matériaux d'une qualité parfaite. Robichaud construit donc lentement son environnement. Il donne d'ailleurs à ce mot une définition singulièrement actuelle; l'environnement englobe non seulement la décoration des murs et le choix des meubles et des objets, mais également le contrôle de la lumière et des sons, le tout dans une synthèse parfaite. Musique diffusée dans toutes les pièces et savant dosage de la lumière constituent donc les éléments premiers et les plus fascinants de l'ambiance Robichaud.

Avenue des Pins, il y a le côté travail et le côté résidence, et chacun est parfaitement indépendant de l'autre. La maison de couture déménagée rue Crescent, Luce et Michel habiteront encore avenue des Pins puis s'installeront rue Sherbrooke Ouest, dans un immeuble très chic du début du siècle. Michel s'y constitue un décor très sophistiqué, démontrant élégamment ses goûts, comme un fragment soyeux d'histoire personnelle.

Un désir de plein air, de campagne, de solitude aussi, l'a conduit durant des années au lac des Isles. Il s'y retrouve la fin de semaine, dans un chalet isolé sur une île, sans électricité, où il se sent parfaitement bien. Le téléphone à batterie est l'unique lien avec la terre ferme. Composant avec les éléments, on se laisse guider par les sémaphores pendant les nuits sans lune. Comme sorti d'un rêve silencieux, un orignal jaillit parfois de l'ombre et vient paresseusement s'abreuver au lac.

Le lac des Isles est en fait un club privé, très chic, comme on en trouvait encore du temps de l'Union Nationale; tous les gens importants de la Mauricie avaient leurs entrées au Club du Nord. Michel y a été parrainé par Maurice Labarre, dont la fille Andrée est une amie d'enfance de Luce. Il a découvert avec bonheur cet endroit sauvage, situé très haut dans la montagne, auquel on ne put longtemps accéder qu'à cheval, ou par hydravion dès la fonte des glaces.

Presque à l'extrémité d'un des trois grands lacs se trouve une toute petite île de conifères, recouverte d'humus, avec, juste en son centre, un chalet de pêche. Luce et Michel aménagent ce chalet comme un grand loft constitué d'une grande pièce dans laquelle le coin cuisine est délimité par un comptoir en L. Unique concession à leur intimité et à celle de leurs invités, deux chambres séparées par une salle de bains. Les poutres apparentes sont peintes en blanc, le plancher vernissé vert fait entrer la nature à l'intérieur. Une armoire canadienne, un ancien pupitre d'écolier en bois blond, des causeuses en rotin blanc recouvertes de coussins blanc et vert et un mobilier de salle à manger en faux Chippendale laqué blanc complètent le décor. Les fenêtres sont habillées de toile de bâche, et des bouquets de fleurs sauvages, de quenouilles, de fougères et de cèdre sont posés ça et là. La cuisinière en fonte noire et les lampes au naphta, allumées lorsque le soir tombe, rappellent seules l'isolement des lieux. L'événement mondain de la semaine a lieu le dimanche alors que les habitants du lac se rendent à la petite chapelle située sur ses bords et profitent de cette réunion pour se lancer dans d'interminables bavardages. Il n'est pas rare que tout cela se termine autour d'un gigantesque brunch où la truite constitue l'aliment de base. Mais tout ce romantisme sauvage nécessite évidemment une organisation sans faille.

Le vrai luxe, c'est l'espace à perte de vue, un endroit à soi où l'on est sûr d'être tranquille, à l'abri des indiscrets; mais on peut trouver tout cela moins loin de Montréal. En automne 1971, Luce et Michel Robichaud achètent près de Trois-Rivières, au pays de monseigneur Tessier, une maison de ferme très modeste en papier brique sur un terrain en friche qui,

124

à part quatre-vingt-cinq acres, n'a rien de bien impressionnant. Il fallait un magicien pour découvrir cela, pour rendre la maison à la vie en la rebâtissant presque entièrement, pour lui donner un air pimpant avec son crépi blanc, pour recréer le paysage extérieur. Mais quelle patience il a fallu démontrer avant de maîtriser complètement les végétaux et de dompter les rythmes naturels de ce terrain vallonné!

Au début, les Robichaud avaient des veaux, un coq, «des poules blanches qui font des taches si jolies sur le vert du gazon» (ah! l'esthétique!), des porcs aussi qu'ils baptisaient des noms des jours de la semaine: lundi, mardi, mercredi, jeudi. Mais faire boucherie à la fin de la saison leur brisait le coeur, car ils s'attachaient aux cochons comme à des animaux familiers. Enfin, il y avait Tempête, la jument de labour à la retraite qui, à l'arrivée des maîtres, au bruit des portes d'auto qui claquent, s'approchait près de la clôture de perche qui ceinture la propriété et attendait qu'on vienne la flatter; si on l'oubliait, froissée, boudeuse, elle disparaissait pour tout le week-end. Depuis que Tempête est morte, seuls deux chats accourent du fond du grand jardin. Chiffon, la chienne des Robichaud, saute de voiture et hume la fraîcheur du temps pendant que son maître, grave et souriant dans la douceur de la lumière, admire son paysage.

Chiffon fait partie de la vie des Robichaud depuis dix-sept ans. Michel l'a offerte à Luce à l'occasion d'un anniversaire. Bien qu'à l'époque il n'aimât pas particulièrement les chiens, il s'était longuement demandé ce qui plairait le plus à sa femme et avait trouvé Chiffon, lhassa apso d'origine tibétaine au long pedigree, aimant autant les chaleurs que la neige et qui, lorsqu'il l'a achetée, tenait dans la paume de ses deux mains. Ils se sont laissé prendre par le charme de cette petite boule soyeuse aux longs poils d'un blond vénitien.

Avec le temps, Michel fait sans hésiter déplacer les dépendances qui lui bouchent la vue; il fait peindre la porcherie, y fait percer des fenêtres et la convertit en remise, puis il fait peindre la grange où les hirondelles viennent si volontiers faire leur nid au printemps. Il plante arbres et bosquets et garnit une immense rocaille. Pendant quelque temps, il entretient deux potagers, puis un seul, et puis il abandonne. Il demeure un gars des villes: il a besoin de l'action, du mouvement de la cité, d'une maison qui soit non pas une contrainte mais un refuge, où l'on puisse aller pour une halte. Il ne peut pas se priver, si l'occasion s'en présente, d'un voyage dans les mers du Sud, de randonnées de ski de fond à Sutton, d'un événement social à Montréal ou ailleurs. La vie sociale à la campagne est très différente. Si les déjeuners et les dîners sont nombreux, c'est dans une ambiance sportive, bon enfant, joyeusement décontractée qu'ils se tiennent. Le midi, on mange sur une immense terrasse en bois gris presque aussi grande que la maison, d'où l'on voit à des kilomètres à la ronde; par temps clair, on aperçoit même le fleuve dans le lointain. On flâne ensuite, confortablement allongé sur les coussins jaune vif qui recouvrent les chaises longues.

On dîne à l'intérieur où la vaisselle de grès s'intègre bien à ce cadre champêtre. Salle de séjour et salle à manger de bois blond, dans une harmonie de blanc, de beige et de tweed ficelle (les canapés et les coussins en sont recouverts afin que les chats puissent gaillardement y grimper), constituent un ensemble paisible et chaleureux, ponctué d'énormes bouquets composés de fleurs coupées le matin dans le jardin et d'autres achetées chez le fleuriste, heureux mélange de fleurs de serre et de fleurs des champs. Autant le rez-de-chaussée est clair, autant l'étage est sombre, fait pour la nuit. Plafond et murs sont aubergine dans la chambre des invités, vert bronze dans celle des

maîtres. Toutes les pièces sont meublées en style québécois et le bois décapé fleure bon la cire d'abeille.

Rien n'est jamais achevé à la campagne. Il faut
planifier à long terme, savoir où l'on va, avoir plutôt
plus de projets que moins, suivre le rythme sans forcer. Un tilleul à fleurs blanches s'est ajouté aux
sapins qui par groupes de trois montent la garde
autour de la ferme; il rappelle à Luce son dernier
voyage en Roumanie où le tilleul est roi et abondam-
ment célébré par les poètes. Michel pense construire
un jour un «gazebo», sorte de kiosque d'où puisse
monter le soir la musique qu'il aime: une symphonie
de Beethoven, un concerto de Rachmaninov, les
grands airs de Carmina Burana ou ceux de la Norma
chantés par la Callas. Déjà, on ressent une sorte de
satisfaction esthétique à être là, dans cet équilibre des
formes, avec la nature à perte de vue.

En ville, ces dernières années, Michel a aménagé
son bureau de création avenue du Parc, dans un
immeuble fonctionnel où on ne retrouve aucun atelier,
pas une seule machine à coudre. Là, on dessine les
collections, on ne les fabrique pas. Le décor blanc-gris
est volontairement dépouillé. À l'entrée, une grande
photo en noir et blanc de Michel placée au-dessus
d'une console en chrome et en verre accueille les visiteurs.

Un changement en appelle un autre. Maintenant
qu'il n'a plus sa boutique et qu'il a ouvert son bureau
avenue du Parc, Michel a délaissé sa vie en appartement au centre-ville. Il voulait un garage, Luce une
buanderie, tous deux une salle de gymnastique avec
bicyclette fixe et appareils d'exercice pour leurs vingt
minutes quotidiennes de mise en forme. Ils ont trouvé
tout cela à Outremont, dans une maison plus proche
de leur nouveau lieu de travail.

Le voilà donc avec deux «maisons»... Non! Ce sont
plutôt deux lieux qui n'en font qu'un parce qu'ils sont

non pas similaires mais complémentaires. Deux endroits «habités» au plein sens du terme et qui forment comme un monde hors du temps. Dans ces deux maisons, Michel peut développer sa connivence avec l'objet, qu'il aime pour ce qu'il a à dire, pour la trace qu'a laissée celui qui l'a pensé. Cette chaise à bascule qu'a fabriquée le grand-père Robichaud et que son père lui a donnée, par exemple, revêt pour lui une importance spéciale; il lui a donc ménagé une place, la première, dans un angle de la maison de campagne. On y trouve aussi une longue table de réfectoire patiemment décapée et amoureusement polie, un coq de clocher en fer blanc, des bougeoirs en forme de bobine à tisser, des cuivres anciens, un grand tableau de Denise Laperrière et une cruche vernissée verte de Vallauris où respirent à l'aise, pendant les week-ends de juin, de grand lupins violets.

Autant la maison de campagne est simple et reposante avec sa monochromie de beiges et ses objets rustiques, autant la maison de ville joue sur l'exotisme et le baroque, mélange les époques d'une façon très contemporaine, et reflète le goût de Michel pour les effets dorés à la chinoise et celui de Luce pour la transparence du cristal. On y dénote cependant cette même passion pour l'objet. Une armoire Louis XVI par exemple, que Luce acheta pour Michel, sur un coup de coeur, au début de leur mariage. Elle était entrée chez l'antiquaire Michel Bourda pour chercher une assiette ancienne qui fasse office de cendrier... et en était ressortie avec une armoire!

Dans le salon aux murs melon et au tapis de longue laine noir, règne contre un mur une grande armoire française, dite de bateau, toute en dessins «trompe-l'oeil», trouvée par hasard chez un antiquaire de campagne, et que les Robichaud ont convertie en bar. Il y a encore une imposante sculpture esquimaude en os de baleine représentant une scène de chasse aux phoques et une étrange carapace de tortue des mers du Sud, toutes deux posées sur des socles en miroir fumé noir dissimulant les enceintes acoustiques; une callebasse montée sur un socle en ébène du XVIIIe siècle chinois; un «coffre écritoire» en ébène incrusté de cuivre du XIXe siècle français et signé Tahan et, dans la salle à manger, un paravent en laque de Coromandel à huit panneaux évoquant une scène de la vie à la Cour Impériale. Tous ces objets sont là pour émouvoir; ce sont les instruments d'une symphonie dédiée à l'élégance universelle.

Parce que le choix d'un tableau résulte d'un sentiment ressenti à un moment précis, la collection qu'ont lentement constituée Luce et Michel Robichaud n'est pas une aventure spéculative et raisonnée mais une suite de coups de foudre, d'envies, d'amitiés essentielles. On y trouve donc des gravures de Jordi Bonet, un tableau de Weisbuch appelé *Le Clown*, un autre de Norman Laliberté nommé *Le Lion*, une vitrogravure de Marc Sylvain: *La Promenade en traîneau*, des Marcelle Ferron, des Stanley Cosgrove, des Tousignant, des Hurtubise et des Ayotte.

Non, ils ne possèdent pas de villa entourée de jardins à Marrakech comme Yves Saint Laurent, ni de château en Italie comme Armani; ils ont mieux peut-être: ces deux maisons, comme un univers secret, qui expriment à leur façon une notion qui leur est chère: le beau à partir du naturel. Ceux qui savent bien se vêtir, paraître, ont souvent le même soin pour leur demeure, leur intérieur. Le mode de vie de Michel Robichaud est à l'image de ses vêtements: la même attention est apportée aux détails et l'ensemble reflète un amour absolu de l'élégance. Ses doubles racines, celles de la terre, celles de la ville, s'entrecroisent et se complètent à travers ses maisons. Est-ce cela qui cause cette dualité qui fait que tous les six mois, à l'époque des présentations de collections, il se trouve confronté au même problème: l'incompatibilité entre l'intemporalité et le renouvellement? Dans sa vie à la fois pleine et partagée, simple et complexe, ces deux concepts sont comme deux pôles entre lesquels il oscille constamment.

Chez les Robichaud, les fêtes organisées périodiquement resplendissent autant la nuit que le jour. Les fêtes de campagne et les réceptions sophistiquées à la ville sont autant de dosages savants d'invités souvent prestigieux aux personnalités distinctes, autant de mélanges heureux de plats simples ou fins servis avec goût.

Ils possèdent cette qualité magique qui s'appelle le charme et qui vaut des millions. De là à se retrouver sous les feux de la rampe, il n'y a qu'un pas que Michel Robichaud franchit bien plus souvent que lors des présentations de collections saisonnières: s'il faut voir, il faut aussi être vu. Depuis quelque vingt ans, la saison mondaine ne se vit pas sans les Robichaud: Luce cumule les présidences et, avec Michel, participe à la promotion de causes qui lui tiennent à coeur telles que le Chaînon, les Petits Frères, les Projets François-Michelle, les Grands Ballets Canadiens, organisant campagnes de financement et galas-bénéfice.

Lui vit sous les projecteurs. Il donne des conférences à la chambre de commerce de Montréal, à l'Association des joailliers du Canada à Toronto, dans les clubs Lyons et Rotary à travers le pays. Il est choisi pour être membre du jury de concours tels ceux de Miss Canada Pageant ou de Miss Grey Cup. Il présente des défilés aux membres du Barreau, à ceux de l'Ordre des médecins ou de la Société d'études et de conférences. Des coups de projecteurs jalonnent sa vie, soulignent ses travaux.

Promu commandeur du Grand Conseil du vin de Bordeaux le 11 octobre 1984, comme Jean de Brabant, qui le parraina, comme Albert Millaire, Jeanne Sauvé,

Léon Simard et Pierre Trudeau, il a été intronisé dernièrement membre du prestigieux Ordre de Napoléon; il est le deuxième Canadien, après Gérard Delage, à recevoir cette haute distinction.

Fournisseur officiel de cognac à la cour de l'empereur Napoléon 1er, la célèbre maison Courvoisier a pris l'habitude d'organiser ces dîners annuels où elle réunit en son château de Jarnac (France) des hommes et des femmes d'action qui «se distinguent dans leur domaine respectif par une recherche constante de l'excellence». Les mets servis au déjeuner d'intronisation évoquent les victoires de l'Empire et les amis chers à l'Empereur. Au menu: coquille de homard Austerlitz, caille impériale, côtelettes d'agneau Maréchal Ney, poularde grillée à la Hoche, aubergines Madame Mère, fraises glacées Joséphine. Ainsi se remémore-t-on l'histoire. En habit vert et or, les nouveaux Immortels y vont de leur discours; Michel Robichaud y a parlé de la persévérance qui établit la tradition.

Premier membre du club Le Cercle de l'hôtel Le Quatre Saisons, dont il a dessiné les uniformes du personnel et qui le reçoit chaque année pour son anniversaire, il est aussi membre du Beaver Club de l'hôtel Reine Elizabeth comme Jean Doré, Brian Mulroney, Jeanne Sauvé, Paul Desmarais et Roger D. Landry. Le Beaver Club fut fondé par des coureurs des bois, trappeurs et explorateurs canadiens-français et écossais, qui se retrouvaient sur la côte du Beaver Hall pour traiter des affaires. Lorsque les glaces bloquaient les cours d'eau et coupaient la route de la fourrure, ils faisaient la fête au Beaver Club.

Avant le repas, le chef cuisinier présentait cérémonieusement au président un calumet de la paix artistiquement décoré qui faisait le tour de l'assemblée, chaque membre en tirant une bouffée et le passant ensuite à son voisin. Après avoir porté une moyenne de cinq toasts, on évoquait bruyamment les grands voyages dans le Nord-Ouest. Ces hommes vigoureux et de bonne compagnie saisissaient alors qui une épée, qui une pince à feu, qui une canne et, assis sur le tapis comme dans un canoë, pagayaient en hurlant des chansons de voyageurs.

Inutile de préciser que le Beaver Club d'aujourd'hui est moins bruyant et peut-être aussi moins coloré. Il réunit maintenant des personnalités du monde des affaires, de la finance et de la politique, mais il a emprunté au club d'origine ses festins gargantuesques, qu'il renouvelle une fois l'an; chacun des membres possède son assiette en cuivre à l'effigie du castor avec son nom gravé dessus.

Choisi homme du mois par la revue *Commerce* en 1986, Michel Robichaud n'a pas oublié le bal protocolaire, très élégant, qui a réuni les douze personnalités de l'année. C'était la première fois que l'Association des diplômés de l'École des hautes études commerciales, qui organise l'événement, reconnaissait les mérites d'un designer de mode et ses qualités d'homme d'affaires.

Moments prestigieux, émouvants, sophistiqués, pittoresques ou simplement amicaux, tendres ou drôles, Michel Robichaud se souvient de tout. De la fête en rose de Diane Dufresne au parc olympique le 16 août 1984; du dîner blanc et noir de Jacques Brunel, son directeur de marketing; de tout.

Il n'a pas oublié l'impressionnant *sleigh-ride* offert par Francine et Paul Bienvenue, à Bromont, dans le courant de l'hiver 1983. Emmitouflés dans des fourrures, on avait traversé les érablières sur des traîneaux anciens que tiraient des chevaux. Et on avait pique-niqué dans les bois.

Les cinquante ans de Suzanne Lapointe et de Jean Perron, célébrés de concert, quelle soirée! Ils s'étaient offert un disque d'airs d'autrefois qu'ils chantaient en duo et avaient reçu plus de quatre cents personnes dans le Salon Ovale du Ritz-Carlton. On y a entendu *Frou-frou, J'attendrai, Fascination, La Paloma...*

Comment Michel pourrait-il avoir oublié le week-end à Mouk Mouk? Pour se rendre sur cette petite île du lac Duparquet, à la limite des eaux de la baie James, il avait fallu prendre un hélicoptère depuis l'aéroport de Rouyn. Partis pêcher le doré et la truite, les invités rentraient le plus souvent bredouilles. Mais le soir à l'heure du cocktail, ils mettaient leur ligne à l'eau, au bout du quai, et assistaient à une pêche miraculeuse. Plus tard, après dîner, on se retrouvait dans la salle de jeu, laquelle abritait un billard et une étonnante collection de machines à sous. Le bénédicité précédait le repas, bonnet d'évêque à l'un, bonnet de curé à l'autre; il est de tradition de remercier le Seigneur pour tous ses bienfaits.

Le voyage à la baleine, du côté de Saint-Siméon, en septembre 1986, n'était pas mal non plus! Ce voyage très «nature» avait été organisé par des amis qui étaient venus chercher leurs invités en minibus. Ils avaient déjeuné dans celui-ci et ne s'étaient arrêtés qu'à Baie-Saint-Paul. Embarqués sur une puissante vedette à Saint-Siméon, après avoir visité un élevage de visons, ils avaient aperçu les baleines à trois heures... Ils les avaient vues émerger en groupe, trois fois, et puis plonger.

Le *party* costumé de Sutton en janvier 1983 réunissant, au coeur de la saison de ski, une centaine de personnes est aussi un souvenir impérissable. Les parents y participaient autant que leurs enfants; bien malin qui aurait pu deviner qui s'amusait le plus. Chef cuisinier, vahiné, Indienne, curé, gitane, Pierrot, soeur volante, côtoyaient Luce en Madonna et Michel... en punk! Toute une famille s'était habillée en schtroumpfs, le visage entièrement bleu. Il y avait encore une reine d'Angleterre et un petit lapin à

133

lunettes. Ce fut une soirée charmante, pas sophistiquée, drôle comme tout, où il fallait faire preuve d'imagination car les costumes loués dans des maisons spécialisées étaient formellement interdits.

Fort différent fut le déjeuner champêtre qu'organisa à Bromont Yves Pratt en l'honneur de sa fille Josette. Celui-là tenait tout à fait du déjeuner littéraire. Comment faire autrement, lorsque la fille de la maison vient de remporter un véritable succès avec son deuxième livre? Il y avait donc le mari de Josette, Bernard Clavel, tous ses amis et ceux de ses parents: Clément Richard, Alice et Jacques Parizeau, Reine Malo, Michèle Labrèche, Louis Martin, Jacques Brunel, Pierre Gascon et les Robichaud.

Un autre beau souvenir: à l'ouverture du Centre National des Arts à Ottawa, les ballets de Maurice Béjart présentaient *Messe pour le temps présent.* Les Robichaud furent si émus, si impressionnés qu'ils n'assistèrent pas au dîner qui suivit mais se promenèrent longtemps par les rues désertes de la ville.

Le Gala 100$^e$ anniversaire de la Chambre de commerce française, sous la présidence de Philippe Dal, le grand patron de l'Oréal-Cosmair, fut une occasion merveilleuse de revoir cent ans de mode: Worth, Poiret, Vionnet, Schiaparelli, Chanel, tous ceux qui marquèrent les débuts de la couture parisienne.

Lors des galas, les Robichaud se retrouvent d'un côté ou de l'autre; ils y assistent, ils en sont souvent les présidents d'honneur, Luce les organise. Le dîner-bénéfice annuel des Projets François-Michelle, une école pour enfants inadaptés, se tient toujours à Blue Bonnets. Une année, il s'est déroulé en présence du lieutenant-gouverneur Jean-Pierre Côté et de Pierre Trudeau, dont c'était ce soir-là la dernière sortie comme Premier ministre du Canada. Michel se souvient que les journalistes, d'habitude réticents à couvrir des événements sociaux, étaient tous là. On ne pouvait les éviter.

Luce a présidé le gala-bénéfice organisé pour le vingt-cinquième anniversaire des Grands Ballets Canadiens et ensuite celui qui servit de prélude à la tournée que les Grands Ballets allaient entreprendre en Orient. Ce dernier gala fut le plus grand succès de Luce: tout y fut parfait, du début à la fin. De la décoration de la table couverte d'amaryllis et de bâtons de bambou jusqu'au menu sur lequel s'était penchée la délicate Keidoc Lim Turcot en passant par la *Danse des rubans rouges* qu'offrirent les danseurs. Pour le Bal Masqué, l'année suivante, Luce receuillit pour les Grands Ballets quelque cinquante mille dollars et monta une fête de nuit aux couleurs gris, blanc et argent. La musique était faite de chants d'oiseaux, du murmure du vent et du bruissement des cascades, et les hôtesses portaient de grands dominos comme à Venise. Tout le monde était masqué. Luce portait une robe améthyste, sa couleur préférée, avec loup de paillettes et de plumes; Michel arborait un loup d'ocelot; madame Lise Bacon, un loup «libellule». Il y en avait pour tous les goûts: des Romains casqués, des trucs en plumes, des papillons errants et des Milord l'Arsouille. Les danseurs de la Compagnie présentèrent un extrait de *Gisèle*.

Comment oublier aussi le dîner impromptu sur une péniche amarrée aux quais de la Seine, au pied de la Concorde, la tour Eiffel majestueuse veillant de tous ses feux, ou bien cette fête en blanc en Provence, dans le Midi de la France, chez une amie dont le moulin est le seul, avec celui d'Alphonse Daudet, à être classé monument historique.

Les Robichaud se rappellent aussi les dîners intimes offerts par Jean de Brabant et par son épouse Céline Lomez. Et le dîner russe qu'eux-mêmes organisèrent pour fêter Yvette Brind'Amour, qui jouait *La Mouette* de Tchekhov au Rideau-Vert, et où on eut la surprise de voir arriver Philippine de Rothschild, de passage à Montréal. Et encore ce repas qu'ils organisèrent en l'honneur de René Lévesque et de sa femme Corinne, soirée qui se termina à une heure fort avancée de la nuit. Il y avait bien du monde: Jean-Pierre Ferland, monsieur et madame Ronald Corey, monsieur et madame Pierre DesMarais II, Diane Juster. Ce fut une assemblée brillante sur laquelle régna monsieur Lévesque, plus fascinant que jamais.

Comment ne pas mentionner aussi dans cette galerie de souvenirs les quarante ans de Michel célébrés sur le *Dolphin,* le bateau en bois d'acajou et d'ébène de la famille Simard, conçu pour naviguer sur les grands lacs canadiens, et aujourd'hui pièce de musée. Ne pourrait-on pas citer cet autre anniversaire de Michel, offert par Louise et Clément Massicotte, fêté au rythme entraînant d'un orchestre privé? Michel n'a pas oublié non plus les fêtes de Régine que fréquentait le *jet-set* montréalais dans les années soixante-dix, et où l'une de ses meilleures partenaires de danse était le futur gouverneur général du Canada, madame Jeanne Sauvé, ni cette merveilleuse réception chez Yossuf Karsh, le célèbre photographe, à Little Wings, dans sa résidence faite de deux maisons réunies par un atrium de verre au bord de la rivière Rideau.

Si plusieurs des fêtes données par les Robichaud se déroulent dans la bonne humeur et la décontraction, d'autres offrent des plaisirs plus raffinés et réservent des surprises plus sophistiquées. Avec un sens de la fête incontesté, Michel souligne chacun des événements importants de sa carrière: l'avenue des Pins, la rue Crescent, la création de son parfum, ses dix ans, puis ses treize ans (son chiffre chanceux) dans le monde de la mode; quant à ses vingt ans de métier, il les a fêtés chez Abacus, lors d'un dîner privé auquel furent invitées une cinquantaine de personnes.

Mais Michel n'a jamais oublié, au long de ces années, que toutes ces fêtes étaient pour lui une occasion privilégiée de sensibiliser les gens, de promouvoir la mode canadienne, dont il est fier et dont il est en quelque sorte le porte-flambeau.

## Et pour en savoir plus

Ce questionnaire, l'écrivain Marcel Proust l'avait conçu pour amuser ses amis. Il répond aujourd'hui à la curiosité des admirateurs d'artistes, de comédiens, d'écrivains et d'autres créateurs. On en apprend chaque fois un peu plus sur celui qui y répond. Voici les réponses de Michel Robichaud au questionnaire de Proust.

1. *Quel est pour vous le comble de la misère?*
   La mendicité.

2. *Où aimeriez-vous vivre?*
   Ici, au Québec.

3. *Quel est votre idéal de bonheur terrestre?*
   Avoir à côté de soi la personne qu'on aime.

4. *Pour quelles fautes avez-vous le plus d'indulgence?*
   La colère. C'est une impulsion du moment, une réaction spontanée qui conduit parfois trop loin celui qui y cède.

5. *Quels sont vos metteurs en scène de cinéma favoris?*
   Visconti, Lelouch, Bergman.

6. *Quels sont vos peintres favoris?*
   Les impressionnistes, Borduas, McEwen.

7. *Quels sont vos musiciens favoris?*
   Beethoven, Vivaldi, Mozart.

8. *Quelle est votre qualité préférée chez l'homme?*
   L'honnêteté.

9. *Quelle est votre qualité préférée chez la femme?*
   L'honnêteté.

10. *Quels sports pratiquez-vous?*
    La natation, le ski de randonnée.

11. *Seriez-vous capable de tuer quelqu'un?*
    Non.

12. *Quelle est votre occupation préférée?*
    La lecture.

13. *Qui auriez-vous aimé être?*
    Michel-Ange.

14. *Quel est le principal trait de votre caractère?*
    L'inquiétude. Mais aussi la patience, la persévérance.

15. *Qu'appréciez-vous le plus chez vos amis?*
    La franchise.

16. *Quel est votre principal défaut?*
    L'intransigeance.

17. *Quelle est la première chose qui vous attire chez une femme?*
    Le charme.

18. *La couleur que vous préférez?*
    Le noir.

19. *La fleur que vous préférez?*
    L'iris.

20. *Quels sont vos auteurs préférés en prose?*
    Michel Tremblay, Marguerite Yourcenar, Jeanne Bourin.

21. *Quels sont vos poètes préférés?*
    Ronsard, Nelligan.

22. *Quels sont vos héros dans la vie réelle?*
    Les chercheurs.

23. *Quels sont vos noms favoris?*
    Des noms de fleurs.

24. *Que détestez-vous par-dessus tout?*
    L'hypocrisie.

25. *Quel est le don de la nature que vous aimeriez avoir?*
    Le génie.

26. *Croyez-vous à la survie de l'âme?*
    Oui.

27. *Comment aimeriez-vous mourir?*
    Vite.

28. *État présent de votre esprit?*
    Rêveur.

## Mais encore...

*Il aime:* L'amour, les fleurs, les chats, les arbres, la beauté.

*Il n'aime pas:* La laideur, la prétention, l'étroitesse d'esprit, les serpents.

*Le travail:* Une discipline qui nous permet de vivre.

*Le meilleur moment de la journée:* Le réveil. Le moment où l'on ouvre les yeux sur une journée qui commence.

*La pièce préférée:* La bibliothèque.

*Le meilleur souvenir:* Le premier voyage en France.

# 7

# *Grandeur et servitudes*

Il ne savait pas que c'était impossible, alors il l'a fait.

Devenir un «nom» nécessite plus qu'un simple talent pour dessiner des vêtements. Il faut aussi posséder la faculté de créer l'événement, la magie, la sophistication ou le mystère, développer une sorte d'aura autour de soi et de son travail. Michel Robichaud a réussi tout cela. Dans le monde de la mode, le talent consiste à choisir le bon moment. Michel Robichaud s'y est appliqué. Il a exploré la haute couture, tenu boutique durant dix ans et maintenant, par le biais de ses manufacturiers licenciés, il rejoint tout le Canada. En passant par la fourrure, le parfum, les accessoires, le prêt-à-porter masculin, les cosmétiques, la lingerie, il a su imposer son nom et mis la mode québécoise à l'heure de la diffusion industrielle. Il n'a jamais cessé d'aller de l'avant. Il sait mieux que quiconque que les choses importantes, celles qui comptent, sont difficiles à accomplir, que rien ne se réussit rapidement, que la persévérance est une règle essentielle et l'opiniâtreté une vertu cardinale. Depuis vingt-cinq ans, sa vie à cet égard est un exemple et un stimulant pour beaucoup. Au cours du dernier quart de siècle, il a ouvert bien des voies, franchi bien des barrières et, convaincu lui-même, il a cherché à convaincre tout le monde. Il continue.

Il croit à une continuité de la mode, à la nécessité de structurer celle-ci, de lui donner un toit; il a prôné les échanges précis, réguliers entre les différents domaines de l'industrie et souhaité la création d'une banque de données générale; il a préconisé une formation rigoureuse dans les écoles où les jeunes apprennent à travailler, à tenir un crayon aussi bien qu'une aiguille et des ciseaux.

Lui qui est dans la mode depuis vingt-cinq ans méprise toujours les événements uniquement spectaculaires, sans portée profonde, qui minent la crédibilité de notre industrie. Pour Michel Robichaud, Montréal-Mode était un événement stimulant qui aurait dû générer quelque chose de plus, mais encore eût-il fallu qu'il y ait derrière cette promotion de grande envergure des manufacturiers prêts à honorer les commandes.

Bel exemple que celui de l'industrie de la fourrure. Ce commerce, en plus d'être sans conteste le plus vieux de la Nouvelle-France, a pris depuis quelques années un essor prodigieux grâce à un événement qui a lieu une fois par an, le Salon international de la fourrure de Montréal, une exposition qui s'est rapidement placée au second rang parmi les plus importantes au monde. Les gens de l'industrie de la fourrure ont longtemps gardé chez nous une mentalité de trappeur; les commerçants de peaux ont dû apprendre les effets de style pour concurrencer la France et l'Italie qui savaient si bien travailler celles-ci. La création y est donc devenue une réalité. C'est maintenant une industrie compétitive forte et structurée, avec des fabricants et des créateurs qui commencent à s'entendre. C'est une industrie capable de régler ses problèmes de mise en marché, de contrôler sa fabrication et de développer sa productivité. Les éléments clés dans ce secteur peut-être moins médiatisé que celui du vêtement, mais de plus grand luxe, sont encore la créativité, la qualité et le rendement. Ce sont d'ailleurs autant d'attributs essentiels à la réussite de quelque entreprise manufacturière que ce soit. Et le développement de la mode québécoise s'inscrit en toute logique dans la ligne de ces attributs.

Quand une mode québécoise sera créée par et pour les Québécois, quand on aura suscité une fierté nationale, on pourra regarder ailleurs. Pour que notre industrie vive et prospère, il faut qu'elle soit portée par des courants naturels, nourrie par une masse de consommateurs qui s'intéressent à elle. Or de quelque côté que l'on regarde présentement, on voit des signes inquiétants: les consommateurs achètent plus que jamais des vêtements d'importation; la plupart des acheteurs commandent, suivant leur goût personnel, presque à l'unité, au mépris des coordonnés conçus par un designer et mélangent style et couturier. Les manufacturiers de vêtements enfin acceptent difficilement de faire équipe avec les créateurs et, inquiets d'abandonner on ne sait trop quelle prérogative, préfèrent encore faire de la copie, au coup par coup.

Alors que Milstein, Bader et Jack Lazar, les

grands de l'industrie de la mode américaine, allaient régulièrement à Paris dans les années soixante et payaient très cher le droit d'assister aux présentations de collections afin d'en ramener quelques idées, Irving Samuel, Auckie Sanft et les autres manufacturiers québécois et canadiens, allaient eux à New York pour y acheter le droit exclusif de reproduire sur le marché canadien tel ou tel modèle. L'industrie canadienne du vêtement était très compartimentée ainsi que le voulaient les syndicats et les comités paritaires: un tel se spécialisait dans les manteaux et les tailleurs, tel autre dans les robes, et ainsi de suite. La création? Pas question! Le *pattern-maker* interprétait les modèles que lui rapportait le patron, rien de plus.

Dans un tel contexte, on comprend que lorsque le créateur québécois voulut un jour piquer son aiguille, les conflits éclatèrent et que les relations ne s'établirent pas dans la gaieté. Auckie Sanft, ayant très vite compris que la qualité était un important facteur de réussite et que la copie servile avait fait son temps, ramena de New York un jeune ontarien du nom de John Warden; c'était le mouton chez les loups. Michel lui succéda. Sanft n'était pas un homme facile, c'est le moins qu'on puisse dire; c'était un caractère. Il aimait gueuler, hurler très fort dans le grand atelier qu'il occupait carré Philips — ce carré de la mode qui abritait également Irving Samuel et où le niveau du langage ne reflétait en rien celui de l'élégance! Sanft avait ses têtes de turc et faisait en sorte qu'on sache chaque jour qui était en disgrâce: le directeur de la coupe, celui de la collection, le représentant des ventes, tout le monde y passait, il lui fallait toujours quelqu'un pour se calmer les nerfs. Il mettait son nez partout, devenait vite insupportable et faisait immanquablement une crise chaque fois qu'il y avait une présentation de collection. Quand Sanft aménagea à l'angle de l'avenue du Parc et de la rue Chabanel dans ce qui

Printemps-Été
1963

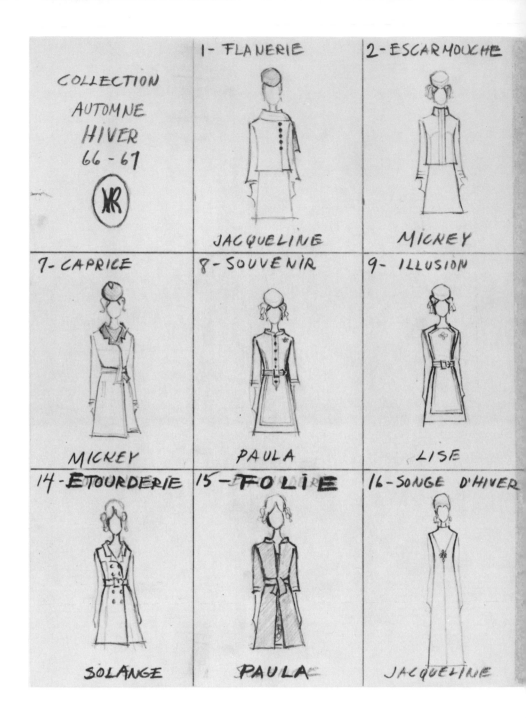

COLLECTION
AUTOMNE
HIVER
66 - 67

1 - FLANERIE

JACQUELINE

2 - ESCARMOUCHE

MICKEY

7 - CAPRICE

MICKEY

8 - SOUVENIR

PAULA

9 - ILLUSION

LISE

14 - ETOURDERIE

SOLANGE

15 - FOLIE

PAULA

16 - SONGE D'HIVER

JACQUELINE

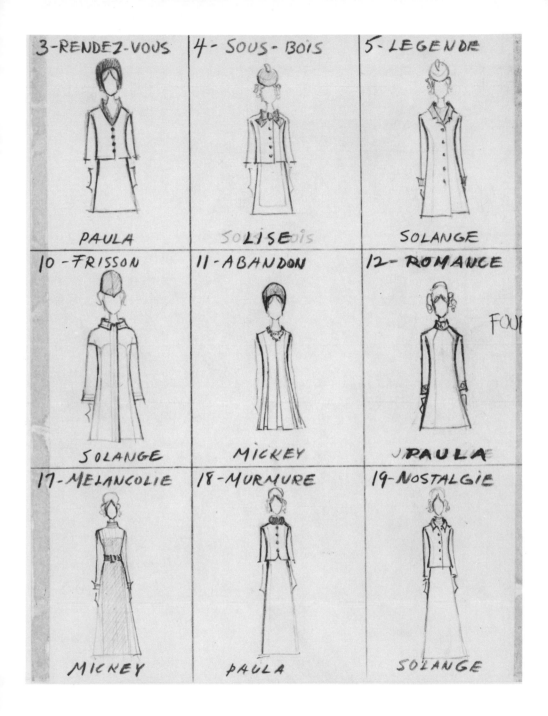

3-RENDEZ-VOUS    4- SOUS-BOIS    5-LEGENDE

PAULA    SOLISE bois    SOLANGE

10 -FRISSON    11-ABANDON    12- ROMANCE

FOU

SOLANGE    MICKEY    J.PAULA

17-MELANCOLIE    18-MURMURE    19-NOSTALGIE

MICKEY    PAULA    SOLANGE

*Août 1963* — Collection haute couture automne-hiver 1963-64. Robe d'après-midi en lainage bicolore, vert émeraude et violet. Le chapeau en même lainage est violet. (Photo Robichaud)

*ût 1963* — Collection haute couture automne-hiver 1963-64. Jacqueline Gilbert
rte une robe de cocktail en crêpe de soie noir. Chapeau «Pill Box» en même tissu
rodé de jais.
hoto Robichaud)

*Décembre 1965* — Nouveaux uniformes vert émeraude du personnel navigant d'Air Canada dessinés par Michel Robichaud.
(Photo *La Presse*)

*Octobre 1965* — Uniforme des hôtesses de l'Exposition universelle de
Montréal, en lainage bleu ciel, avec chemisier blanc. Le chapeau tricolore
est marine, bleu ciel et blanc.
(Photo Expo)

*Juin 1966* — Collection fourrures automne-hiver 1966-67. Manteau long
en breitschwanz noir avec poignets et col de vison noir, fermé par un
noeud de velours noir.
(Photo Robichaud)

*ctobre 1967* — Collection couture automne-hiver 1967-68. Robe «kaftan» en
ousseline vert mousse, brodée de paillettes dorées.
(hoto Robichaud)

*Octobre 1967* — Collection couture automne-hiver 1967-68. Robe en dentelle dorée garnie de rubans de même couleur et ceinturée de satin aubergine. Long manteau du soir également en satin aubergine.
(Photo Robichaud)

*ctobre 1967* — Collection couture automne-hiver 1967-68. Robe «Empire» en
~~p~~erline vert émeraude doublée améthyste. Bas brodés de fleurs améthyste.
~~P~~hoto Robichaud)

*Septembre 1967* — Collection prêt-à-porter printemps-été 1968. Manteau en lainage blanc cassé imprimé rose et marine. Chapeau «boule» en cuir verni marine.
(Photo Max Sauer)

*eptembre 1967* — Collection prêt-à-porter printemps-été 1968. Tailleur en lainage
arine agrémenté de boutons dorés.
*hoto Max Sauer)*

*Mars 1973* — Collection haute couture printemps-été 1973. Robe longue en mousseline de soie blanche, au décolleté vertigineux...
(Photo Québecor)

*Avril 1980* — Présentation des collections Michel Robichaud automne-hiver 1980-81.
Ensemble pantalon en tweed naturel et taupe porté sur un pantalon en flanelle taupe.
(Photo Robichaud)

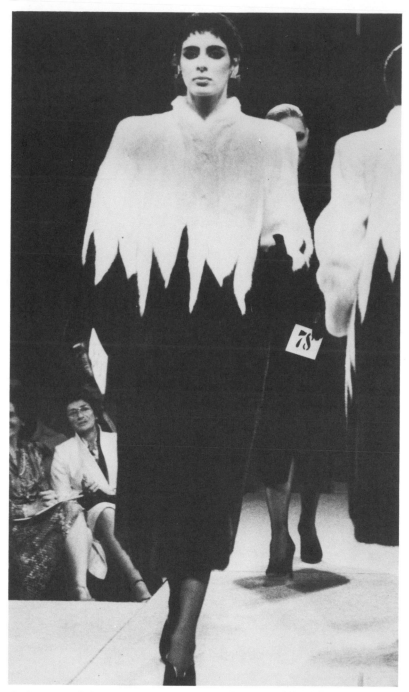

*Avril 1980* — Présentation des collections prêt-à-porter Michel Robichaud automne-hiver 1980-81. Manteaux bicolores en vison noir et blanc. (Photo Robichaud)

*évrier 1981 — Collection de foulards Michel Robichaud. Foulard en soie gris, marine
t rouge d'inspiration «esquimau».
Photo Robichaud)

*Printemps 1982* — Collection prêt-à-porter printemps-été 1982. Robe de cocktail en mousseline imprimée noir et fuchsia accompagnée d'une grande écharpe.
(Photo Michel Gontran)

*intemps 1982* — Collection prêt-à-porter printemps-été 1982. Ensemble
is-pièces en crépon de coton mastic et blanc et blouse en voile de coton
ns les mêmes tons.
hoto Michel Gontran)

*Automne 1982* — Collection de prêt-à-porter automne-hiver 1982-83. Veston sport et gilet assorti en tweed brun et beige avec garniture en suède brun, portés sur un pantalon en flanelle brune.
(Photo Michel Gontran)

*utomne 1983* — Prêt-à-porter automne-hiver 1983-84. Deux ensembles en tweed
à rayures noir et gris, portés avec de grands «ponchos» rayés ou unis.
(Photo Michel Gontran)

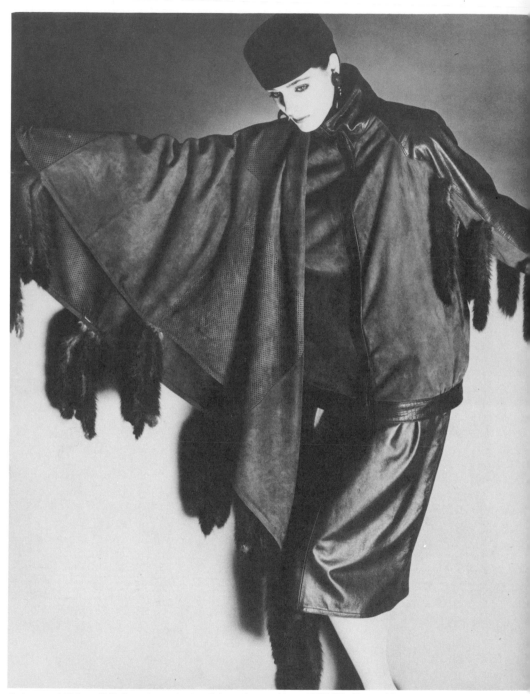

*Automne 1984* — Prêt-à-porter cuir et suède automne-hiver 1984-85. Ensemble
deux-pièces en cuir et en suède taupe avec queues de vison. Un grand châle
l'accompagne.
(Photo Michel Gontran)

*tomne 1984* — Prêt-à-porter cuir et suède automne-hiver 1984-85. Robe en suède
ir, avec empiècement et chevrons en cuir taupe.
hoto Michel Gontran)

*Automne 1984* — Prêt-à-porter automne-hiver 1984-85. Longue chemise «pied de coq» vert et noir en soie et laine, portée sur une jupe en crêpe noir et avec une blouse en crêpe de satin ivoire.
(Photo Michel Gontran)

*utomne 1984* — Prêt-à-porter automne-hiver 1984-85. Deux-pièces en lainage
ossais, marine et fuchsia porté avec une grande écharpe.
hoto Michel Gontran)

*Automne 1986* — Prêt-à-porter fourrures automne-hiver 1986-87. Veste longue en renard Saga bleu.
(Photo Robichaud)

*utomne 1987* — Collection automne-hiver 1987-88. Robe cardigan en jersey gris
thracite avec boutons argent: le devant est agrémenté de deux poches poitrine;
taille est marquée par une large ceinture de cuir gris.
hoto Michel Gontran)

*Automne 1987* — Collection «Robichaud Diffusion» automne-hiver 1987-88.
Ensemble trois-pièces composé d'une veste trois-quarts en molleton noir et d'une
jupe droite en gabardine cognac. La blouse est imprimée cognac, noir et blanc cassé.
(Photo Michel Gontran)

Automne-Hiver
1987-88

*Printemps 1988* — Collection «Robichaud Diffusion» printemps-été 1988. Ensemble de ville trois-pièces, marine et blanc, composé d'un «blazer», d'une blouse ras du cou en challis imprimé et d'une jupe droite en gabardine marine.
(Photo Michel Gontran)

MR. Été
Printemps
1988

*Automne 1987* — Collection fourrures automne-hiver 1987-88. Manteau long en renard roux avec capuchon.
(Photo Michel Gontran)

allait devenir pour Montréal «le quartier de la gue-
nille», Irving Samuel décida de faire bande à part et
alla s'établir à Saint-Léonard.

Ce fut donc une dure expérience que vécut Michel
Robichaud lorsqu'il se trouva aux prises avec des
manufacturiers dictateurs et des *pattern-maker* qui
craignaient de perdre leur place. Dans ce bain de réa-
lités nouvelles et difficiles, la sensibilité de l'homme et
de l'artiste fut souvent ébranlée, l'enthousiasme du
manufacturier tombant très vite, les croquis étant
modifiés au gré des humeurs et sans avertissements
préalables, tel modèle ajouté et tel autre retiré sans
plus de discussion, la collection finale n'étant plus
qu'un pâle reflet de la collection rêvée. Au début, pas
question non plus de signer sa propre collection. Tous
ces manufacturiers se prenaient eux-mêmes pour des
créateurs. D'ailleurs, convient Michel Robichaud, «ils
étaient parfois si sincères dans leur copie qu'il leur
arrivait de prétendre dur comme fer que c'était là
leurs modèles».

Michel travailla également chez Irving Samuel et
nous parle du propriétaire, monsieur Workman. «Il
n'était pas facile de travailler avec lui qui se prenait
pour un grand couturier; il allait à Paris deux fois l'an
et il photographiait ce qu'il pouvait, interprétait ou
copiait exactement les modèles qui lui plaisaient. Il
oubliait simplement que ces modèles isolés ne consti-
tuaient pas un message de mode. Je me souviens combien il m'était difficile certains jours de me rendre à
l'atelier, de travailler sur une collection que j'aimais
et de voir chaque fois les modèles transformés, modifiés, banalisés ensuite par cet homme qui était passé
derrière moi et s'était octroyé pleins pouvoirs sans respect du travail d'autrui. Il n'attendait même pas que
mes modèles soient terminés. Tout le monde se mêlait
de tout et le patron prenait jusqu'à l'avis du commis,
du vendeur ou du manutentionnaire. J'étais là, à

145

m'imaginer utile, à vouloir travailler avec d'autres à la poursuite d'un objectif commun: la réussite de la collection, et je m'apercevais qu'on défaisait comme à plaisir ce que j'avais dessiné, qu'on me flattait quand j'étais là pour mieux me démolir en mon absence, bref qu'il y avait là tout un jeu d'hypocrisie, une confrontation continue assortie de coups d'épingles, d'échauffourées silencieuses ou tapageuses. Cela devenait exténuant, mais puisque c'était le prix à payer pour travailler avec l'industrie, j'acceptai et pris le parti de me taire.»

«On ne voulait pas de moi, c'était clair. Mais il allait bien falloir qu'on m'accepte.» Commença alors pour Michel Robichaud un étrange corps à corps avec ces manufacturiers afin de les convaincre de prendre des risques... contrôlés! Il s'attaqua donc aux gros comme aux petits dans les secteurs les plus divers de la mode: du prêt-à-porter féminin ou masculin aux accessoires. Certains, timorés, limitèrent l'expérience au minimum; d'autres, trop hardis, firent faillite! Certains témoignèrent de la plus totale grossièreté; d'autres, d'une élégance sans faille. Mais de l'homme du monde au requin de l'industrie, du grossier personnage au manufacturier policé, de celui qui comprenait tout à celui qui planait à des milliers d'années-lumière, presque tous manquèrent de professionnalisme, même monsieur Sanft qui avait pourtant un sens très sûr de la qualité. Avec eux, la communication fut ardue, l'osmose ne se fit jamais tout à fait. Est-ce une question de maturité, de compétence ou bien plutôt de confiance?

Depuis, Sanft a fermé sa manufacture; Irving Samuel a joué à la chaise musicale avec presque tous les dessinateurs et les grands noms européens; John Warden a travaillé avec Moly Claire; Marielle Fleury avec Rain Master; Léo Chevalier a dessiné pour Brodkin avant d'aller faire sa collection dans l'Ouest; Hugh

Garber avec Margot Dress; Elvira Gobbo avec Luv; Tom D'Auria avec The Factory; Margaret Godfrey et Nicola Pelly avec Bagatelle; Jean-Claude Poitras, après avoir travaillé pour Beverini, a trouvé un importateur mais presque tout ce qu'il dessine est produit ailleurs, de même que Simon Chang qui fait fabriquer la plupart de ses créations en Orient. On dit que cela facilite les échanges commerciaux?

Si des manufacturiers ont ainsi tiré leur révérence, d'autres ont fait leur apparition. Le Groupe Monaco produit Alfred Sung à Toronto; Tan Jay, qui a quitté Winnipeg pour Toronto, s'est également fait un nom dans le vêtement bon marché et est présent jusque sur le marché américain. Les entrepreneurs qui se lancent dans l'industrie de la mode à l'heure actuelle sont plus près de la nouvelle efficacité. Ils possèdent des équipements perfectionnés et le sens de la mise en marché, outils sans lesquels le créateur n'est rien. Sont-ils réellement plus précis, plus agressifs, voient-ils plus grand que ceux qui les ont précédés, sont-ils vraiment prêts à collaborer avec le designer de façon que chacun ait ses responsabilités bien définies? Il faut le croire. Le mariage de la création et de la production n'est aisé dans aucune discipline; il est cependant essentiel. Mais il ne faut pas que le dessinateur se prenne pour une star ni que le manufacturier joue les créateurs.

Les États-Unis ne possèdent guère plus de dix dessinateurs connus pour une population de deux cent cinquante millions de personnes, et nous voudrions en avoir davantage alors que nous ne comptons pas même vingt-cinq millions d'habitants aux identités différentes! En vingt-cinq ans, combien de dessinateurs québécois ont-ils tenu le coup, résisté aux difficultés, se sont fait connaître et ont gagné leur vie avec ce métier? Trois ou quatre, guère plus.

Des écoles existent dont le collège LaSalle, le collège Marie-Victorin, le campus Notre-Dame de Sainte-Foy ainsi que l'Institut des textiles du cégep de Saint-Hyacinthe. On forme donc beaucoup de jeunes. Les forme-t-on bien? Leur permet-on d'accéder à une connaissance pluridisciplinaire: technique et commerciale, économique et créative? Il est certain cependant qu'on en forme trop car il est évident que la majorité d'entre eux ne trouveront jamais l'emploi rêvé. La démocratisation est fort louable, mais il est toujours regrettable, par absence d'un processus de sélection plus rigoureux, de ne former que d'éventuels chômeurs. Ce n'est toutefois pas l'opinion de Michèle Bussière, vice-présidente du collège LaSalle; selon elle, il y a 3,6 demandes pour un diplômé et tous sont placés dans les six mois suivant la fin du cours. Du travail pour tous, sans doute, mais combien arriveront à la renommée?

D'autant plus que, comme le précise Michel Robichaud, contrairement au médecin, à l'avocat, à l'ingénieur ou à tout autre membre d'une profession dite libérale, le designer de mode n'a pas réellement de statut et n'importe qui peut s'improviser créateur pour peu qu'il sache tenir un crayon, tailler un tissu ou le coudre. Parce qu'il n'y a aucune réglementation précise, le designer de mode formé en école n'est souvent guère plus avancé que l'amateur éclairé qui dessine dans son sous-sol ou que la petite couturière de quartier qui copie pour ses voisines les modèles de *Elle* ou de *Vogue*. Aussi ne faut-il pas trop se leurrer mais regarder en face cette difficile réalité: l'absence de statut rend la compétition excessive, la formation presque absurde. La démesure qui règne dans les écoles de mode et qui fait que les étudiants peuvent présenter des défilés de mode dans des conditions et avec des moyens que les couturiers établis ne peuvent même pas se permettre, fausse la réalité du travail et déséquilibre jusqu'à sa raison d'être.

Si des règles de formation et d'exercice sont essentielles, d'autres mesures le sont aussi. On a tendance à émietter les subventions à droite et à gauche, sans égard pour la continuité. «Je ne dis pas qu'il n'est pas important d'aider les jeunes dessinateurs, estime Michel Robichaud, mais je dis qu'il faudrait donner de meilleurs outils aux têtes de file. C'est aussi difficile de rester en place quand on a atteint un certain niveau que de grimper.» Peut-être vaudrait-il mieux, comme cela se fait ailleurs, que les dessinateurs reconnus bénéficient d'un abattement d'impôt privilégié et que le gouvernement participe au financement des collections saisonnières. Enfin, certains créateurs de mode peuvent trouver particulièrement aberrant qu'un manufacturier puisse recevoir certains prêts de développement sous la caution d'une collection à réaliser avec un dessinateur alors que ledit dessinateur n'a lui-même de droit sur rien. Enfin, la Société de développement industriel (S.D.I.) accepte de financer une collection de vêtements comme si c'était un prototype, mais elle lie le remboursement du prêt au succès de la collection sur le marché, faisant fi de six mois d'existence de ce produit et des commandes immédiates de tissus nécessaires à sa mise en fabrication finale. Ne devrait-on pas plutôt penser à instaurer un dégrèvement de taxe si le produit est fabriqué ici plutôt qu'à bon compte à l'étranger?

Parce qu'il pensait tout cela, et parce qu'il le pense encore, Michel Robichaud s'est largement engagé dans les associations de dessinateurs et a généreusement offert sa disponibilité, son expérience, ses talents d'administrateur, d'organisateur et de promoteur, son charisme et sa réputation, pour la propagation d'une certaine idée de la mode. «La promotion de la mode, oui, à condition qu'il soit le premier à en bénéficier», murmurent les mauvaises langues. Et quand bien même cela serait, n'y a-t-il pas droit?

Michel Robichaud a par ailleurs présidé pendant trois ans aux destinées de ce qui devait être le Centre de Promotion de la Mode de Montréal. Le 1er mai 1984, Rodrigue Biron, alors ministre de l'Industrie et du Commerce, lui écrivit: «Je me réjouis de constater que vous avez accepté de vous engager dans ce projet et de mettre votre compétence au service du développement d'une industrie québécoise dynamique et concurrentielle.» Le Centre fut lancé à grands renforts d'études, de comités de travail et aussi avec beaucoup d'argent; on avait cru qu'il permettrait d'instaurer la collaboration entre les pouvoirs publics et la profession, créateurs et manufacturiers enfin confondus, mais il n'eut pas, comme on le sait, le succès attendu. Les activités du Centre, après avoir connu un bon départ, ont périclité, générant une image de confusion et de mauvaise gestion qui a terni pour un temps la réputation de la mode québécoise et soulevé les moqueries de Toronto, tout cela suite à des coupures de budget gouvernementales. Le Centre est maintenant assimilé aux CDIM qui regroupent deux autres centres, ceux de la productivité et du textile, et a établi ses quartiers rue Chabanel là où, dit-on, cela se passe.

La situation désastreuse de la mode québécoise et de l'industrie du vêtement en général, à laquelle Michel Robichaud avait intéressé René Lévesque lui-même lors de séances d'essayage personnelles, avait donné lieu, en 1982, à une conférence socio-économique préparée par le ministère de l'Industrie et du Commerce. Pour cette rencontre, quatre-vingt-quatorze personnes issues de tous les secteurs — fabricants de textiles, acheteurs, représentants syndicaux et patronaux, délégués des ministères et des services municipaux, manufacturiers, designers et journalistes — avaient été invitées: il en vint soixante et onze. Un consensus sur la nécessité d'une information pertinente destinée à toute l'industrie et d'une restructuration précise des milieux d'intervention de la mode fut pris et aboutit à la constitution d'un comité permanent dont fit partie Michel Robichaud.

L'industrie de la mode regroupe les secteurs diversifiés du textile, de la bonneterie, des bijoux, de la fourrure et des cosmétiques aussi bien que de la fabrication de vêtements féminins, masculins ou d'enfants. Considérée globalement, cette industrie génère au Québec plus de cinq milliards de dollars en valeur d'expéditions et assure un emploi à plus de cent mille personnes réparties dans mille deux cents entreprises, soit plus de 50 p. 100 des emplois du secteur de la mode au Canada. Les fermetures d'usines, les faillites d'entreprises qu'on avait cependant cru durables, les pertes d'emplois de l'ordre de 20 à 25 p. 100, la diminution de la part du marché (jusqu'à 40 p. 100 dans le cas de la chaussure), le déplacement des manufacturiers vers l'Ontario, le transfert des bureaux d'achat des grandes chaînes de magasins vers Toronto ou l'Ouest du pays, tout cela et bien d'autres choses encore ne facilitent pas l'expansion de la mode québécoise et rendent précaire son industrie. D'autant que s'est installé un ennemi de taille: le couturier étranger de renom qui s'accapare aujourd'hui jusqu'à 50 p. 100 du marché du vêtement, soit par l'importation pure et simple soit par le biais de la licence qui permet aux manufacturiers locaux de commercialiser les noms étrangers et en même temps de faire sortir des devises de notre pays, ce qui représente bien la mainmise de la création étrangère sur la mode. Quant aux designers québécois qui peuvent entrer en compétition avec ces couturiers étrangers, ils ne sont pas plus nombreux qu'hier malgré la pléthore d'écoles en tous genres et plusieurs d'entre eux, même s'ils sont connus, n'arrivent pas mieux qu'avant à trouver un manufacturier pour produire leurs créations.

Devant cette industrie mal en point, il n'y avait

pas trente-six solutions: il fallait redresser la situation et, puisqu'on possédait les équipements et la machinerie, il convenait d'améliorer la productivité et par là même la compétence technique des travailleurs. Ce fut la tâche que se donnèrent les centres de productivité du vêtement et du textile. La mise en place d'un centre de promotion autonome implanté à long terme qui mettrait l'accent sur un code d'éthique professionnelle, qui aurait pour mission de rebausser l'image de la mode québécoise, qui ferait figure d'autorité dans le milieu et d'interlocuteur auprès du gouvernement et valoriserait par tous les moyens la créativité, la promotion, la mise en marché du produit-mode, allait, croyait-on, contribuer à garantir une relation de confiance et de respect entre les designers et les manufacturiers.

Montréal-Mode, projet provincial, a eu un éclat considérable mais éphémère puisque la continuité n'en a pas été assurée; Fashion-Canada, projet fédéral, a tenté à son tour d'implanter une permanence dans le milieu de la mode mais ses activités étaient sporadiques, sans doute à cause de l'envergure de son mandat mais aussi du manque d'implication financière des personnes qui s'en occupaient; Clairol, du secteur privé, organisa des concours pour faire connaître de jeunes créateurs, alliant ainsi la mode aux produits de consommation courante. Craven A, encore du secteur privé, fit la promotion des dessinateurs canadiens de renom à travers le Canada durant deux ans. Récemment, Dubonnet s'est également mis à faire des concours. Le Salon de prêt-à-porter féminin a tenu ses assises en mars 88 au Palais des congrès de Montréal, mais outre qu'il soit le fait de l'industrie privée, il semble s'intéresser davantage au milieu de l'importation qu'à la valorisation du secteur créatif québécois. D'autres événements de prestige ont lieu, qui ne s'inscrivent pas dans une stratégie globale de mise en marché de l'industrie de la mode québécoise.

Alors, chacun pour soi, les designers tentent de se tailler une place sur le marché de la mode et de conquérir une image de marque. Contrairement à Michel Robichaud, bien peu y sont parvenus. On peut même penser que dans le cadre de politiques fédérales et provinciales plus fortes et concertées, avec des moyens plus adéquats, les efforts qu'il a lui-même déployés durant toutes ces années auraient donné de meilleurs résultats et un plus grand impact.

La mode est née à Paris, c'est entendu, mais qu'est-ce qui fait que bien qu'elle y garde son image de marque, les affaires se sont déplacées du côté de Milan ou de Düsseldorf? Ces villes sont devenues, pour plusieurs raisons, les capitales incontestées de la mode internationale et Montréal, il faut se l'avouer, n'est une capitale que dans les voeux pieux des membres du Rapport Picard. Que ce soit dans le domaine du design industriel ou dans celui de la mode, le Québec n'arrête pas de recommencer et les mêmes problèmes continuent de se poser, les mêmes commentaires d'avoir cours, les mêmes difficultés de surgir, témoignant d'une étrange insuffisance à se définir mais aussi à opérer le mariage essentiel de la création et de l'industrie.

Qu'il s'agisse de design de mode ou de design tout court, l'exemple vient depuis quelques années de l'Italie qui exporte aussi bien ses appareils électroménagers très sophistiqués et ses meubles aux lignes très pures que ses vêtements masculins et féminins de classe. Une formule résume ce succès: la synergie artisanat, création de ligne et répondant industriel. Elle est de Vieri R. Salvadori, l'administrateur-délégué de la Domus Academy. Il sait de quoi il parle. Avant de prendre la direction de cette institution privée post-universitaire de management du design, cet Italo-Américain dirigeait d'importantes écoles similaires aux États-Unis. «L'époque du marché de masse, c'est fini, dit Salvadori. Désormais, il y a des masses de marchés et des masses de goûts. Les Italiens l'ont parfaitement compris.»

Aux antipodes: la République fédérale d'Allemagne. Visant exclusivement le centre du marché — c'est-à-dire 80 p. 100 des consommatrices — avec des produits peu originaux mais fonctionnels, très bien finis, fréquemment mis au goût du jour, livrés avec exactitude et précision, l'Allemagne est devenue, après Hong-kong, le second exportateur mondial de prêt-à-porter féminin. On commence à connaître ses recettes. Les Allemands ont su choisir un secteur très ciblé (moyenne et haute gamme), pour lequel ils ont façonné un réseau de distribution encore inégalé.

Totalement reconstruite après la guerre, l'industrie allemande du vêtement féminin est très modernisée et complètement délocalisée: 60 p. 100 de sa production est réalisée en Extrême-Orient, en Europe de l'Est et dans les pays méditerranéens. Enfin elle a pour fer de lance quelques très grosses entreprises; les cinq leaders, Steilmann, numéro un d'Europe avec ses trente-sept usines qui occupent sept mille deux cents personnes et pas moins d'une cinquantaine de stylistes, Falke, Hücke, Escada et Mondi, réalisent ensemble 20 p. 100 du chiffre d'affaires du prêt-à-porter allemand. La R.F.A., pour qui il s'agit avant tout de vendre et donc d'offrir aux acheteurs ce qu'ils demandent, «explose» sur le marché international mais gagne d'abord sur le marché intérieur. Les Allemandes dépensent beaucoup pour s'habiller — le double, dit-on, des Françaises — et choisissent les ensembles coordonnés qu'elles affectionnent et qui sont fabriqués dans leur pays. Il est étonnant de constater qu'aujourd'hui encore, ici au Québec, la plupart des femmes se vantent haut et fort de porter des vêtements d'importation et se gardent bien de porter du Québécois. «C'est du snobisme mal placé, commente Michel Robichaud. Ces femmes ignorent les créateurs canadiens. Comment, dans de telles conditions, nous imposer sur les marchés extérieurs si nous ne sommes même pas reconnus des nôtres? Tant que nous n'assumerons pas notre différence et que nous ne l'exprimerons pas, nous n'aurons pas grand-chose à proposer au monde extérieur.»

On doit à Henri Michaux ce regain d'intérêt pour la mode qui marque notre époque. «L'habillement est une conception de soi que l'on porte sur soi», dit-il. La mode est plus qu'un miroir, elle est porteuse d'efforts, d'imagination, de création. En ce sens, elle est déjà une culture. Et cette culture n'est pas seulement le résultat de la création; elle est d'abord l'acte de créer, c'est-à-dire la recherche, l'invention, l'imagination qui précèdent le résultat. Le Québec est un pays créatif; les talents, les capacités, les compétences existent. Mais il y est souvent difficile de mettre des idées en pratique, d'exploiter des découvertes, et donc d'offrir aux créateurs les possibilités de s'exprimer et de voir réaliser leurs projets comme ils le voudraient. La solution se trouve dans la concertation entre les pouvoirs publics et les professionnels de la mode. Il s'agit d'une industrie d'intérêt national exposée à la présence concurrentielle internationale.

Ni les rêves affichés des créateurs à travers les diverses associations qu'ils ont formées, ni les efforts déployés pour donner à l'industrie de la mode québécoise et canadienne une structure et une organisation permanentes n'ont suscité les résultats escomptés. On ne compte plus les études de faisabilité, les multi-rencontres, les ateliers de travail et les espoirs distillés par les gouvernements dans le but de structurer cette industrie qui s'en va à vau-l'eau. On avance plus facilement la volonté de promotion du design que les capacités d'organisation de celui-ci. «Or, dit Michel Robichaud, la promotion de la mode n'est possible que si celle-ci existe.» On a l'impression que, là encore, gouvernements, industriels et créateurs ne se sont pas compris. «Les gouvernements veulent des *shows*, des salons internationaux qui n'en ont que le nom, un impact public, une image politique; pour ma part, j'ai toujours été partisan d'un centre de travail qui facilite la rencontre entre industriels et créateurs, permette les échanges et contribue à résoudre nos problèmes. Mais hélas il s'est avéré qu'il s'agissait là d'un marché de dupes.»

Michel Robichaud oeuvre avec passion depuis maintenant vingt-cinq ans pour défendre la mode québécoise et canadienne. Durant toutes ces années, il a travaillé pour lui, mais aussi pour les autres; il a souhaité qu'une industrie de la mode émerge comme entité responsable apportant un statut professionnel à ses membres; il a voulu une industrie forte et structurée, qui brise l'apathie des manufacturiers québécois et les conditions de servitude qui s'y trouvent trop souvent rattachées. L'industrie de la mode québécoise est aux mains de personnes âgées — ce qui n'est pas un mal en soi — qui, pour la plupart, ne veulent malheureusement pas changer leurs habitudes, modifier leur routine et pour qui le *statu quo*, le «comme hier», est encore ce qu'il y a de mieux. S'il y a un réel manque de confiance des uns et des autres, il y a surtout un évident manque d'audace et de dynamique, et à cela les gouvernements ne peuvent rien. Ce sont les mentalités qui doivent changer. Il est vrai que les gens qui se lancent aujourd'hui dans l'industrie de la mode, sont plus près de la nouvelle efficacité. Avec eux, on sent l'échange possible, le dialogue prêt à s'installer.

Conscient des problèmes posés également par les intermédiaires — c'est-à-dire les gens qui achètent pour les boutiques et les grands magasins et qui sont placés entre le public et le créateur de mode — et soucieux d'éviter l'impasse, Michel Robichaud envisage de résoudre lui-même le problème de la distribution de ses produits en s'adressant directement au public par l'intermédiaire d'un réseau de boutiques franchisées ou affiliées. À la manière de Ralph Lauren — puisqu'il est toujours plus aisé d'utiliser des exemples pour comprendre —, toutes ses créations seraient présentées en des lieux uniques et seraient ainsi indissociables d'une certaine image; ces endroits seraient des salons plutôt que des magasins, des salons où l'on aurait envie de s'arrêter, d'être entre amis, où l'on se sentirait bien. Rééditer en quelque sorte la boutique de la rue Crescent? Non, pas vraiment. Mais en utiliser le meilleur, oui, peut-être bien. Et le multiplier. En Michel Robichaud, se confondent un côté *glamour*, celui des fêtes, des multiples hommages rendus à son talent mais aussi à son incroyable ténacité, et un côté travail, celui du labeur chaque jour recommencé, des difficultés sans cesse affrontées.

Il a été demandé aux créateurs québécois de réussir un pari impossible: manager et créer. Être des dessinateurs originaux doublés d'hommes d'affaires rigoureux. «Nous sommes en compétition avec des couturiers américains, français, italiens, qui sont aux mains de groupes financiers extrêmement puissants. Ailleurs, les créateurs créent et les financiers financent; ici, il faut tout faire soi-même, être à la roue et au moulin, à la création et à la comptabilité. Beaucoup de mes confrères s'enferment dans leur monde avec, en amont, les industriels qui détiennent le pouvoir technique et économique et ne jouent pas le jeu international et, en aval, les gouvernements qui n'établissent pas de véritable politique de la création.» La persévérance n'est pas un vain mot. Refusant de se laisser abattre par les contraintes d'un quotidien de vingt-cinq ans, ayant défini depuis longtemps sa ligne de conduite,

Michel Robichaud s'y tient. Ainsi persiste-t-il et continue-t-il à avancer, lentement mais sûrement.

# Épilogue

Faire un meilleur avenir avec les éléments élargis du passé.

GOETHE.

Tout «droit fil», ainsi Michel Robichaud est presque devenu une légende et a su bâtir une continuité. À la fascination première qu'exerça «le jeune couturier de ces dames», succéda un réel respect pour le travailleur du vêtement qui a imposé un style et un goût de la belle ouvrage, une admiration naturelle pour ce pionnier qui n'a pas cessé de vouloir inculquer aux siens une fierté légitime dans le «made in Québec».

Son insécurité profonde, qu'il camoufle sous une assurance imperturbable qui paraît à certains «fendante», s'atténue grâce au climat de compréhension qui l'entoure. Qui veut comprendre Michel Robichaud ne peut cependant se permettre d'ignorer son caractère ni le style de ses relations. Il est, il a toujours été, le centre impérieux d'un cercle qui n'existe que par et pour lui et dont il est le géomètre attentif. Pas un étranger ne sera réellement autorisé à percer le mystère que le personnage a patiemment construit; gare à celui qui s'aventurerait dans le territoire interdit. Comment le pourrait-il? Sa tâche se trouvera immédiatement compliquée par le personnage lui-même et les barrages subtils qui l'entourent. On permettra à la rigueur qu'il apprenne quelques secrets mais à condition expresse de ne pas les exploiter. Michel comprend-il qu'on le jauge, qu'on le juge et que parfois on le désapprouve? Il déploie immédiatement ses défenses. Vouloir forcer certaines portes, c'est s'exposer non pas au refus implacable, mais aux justifications absolues.

On croit savoir d'où il vient et où il veut aller; il s'est voulu un destin et se l'est forgé opiniâtrement tout au long des vingt-cinq dernières années. Derrière son charme et sa fantaisie se cachent une volonté inébranlable, une dynamique intense endiguées par une réflexion, un soupçon d'hésitation et une grande prudence. Sans doute n'est-il pas tout à fait ce que l'on imagine, pas tout à fait ce qu'il a voulu être. Mais Michel Robichaud a toujours entendu contrôler ce qu'il concède de lui-même aux autres: une fraction de ses souvenirs, de ses goûts, de ses intérêts, de ses espoirs, quelques échecs soigneusement dissimulés.

Luce, sa femme, et Jacques Brunel, son ami et directeur de marketing, ont organisé leur vie en fonction de lui, par rapport à lui. Luce, avec charme et adresse, entretient les relations et aplanit les difficultés du quotidien; Jacques, habile et précis, est un relationniste redoutable, d'une implacable exigence. À trois, ils ont réussi à bâtir une image, une griffe et, pour Michel, un mode de vie si sophistiqué que parfois on s'étonne d'y trouver un homme qui s'émeut et pleure, un homme qui s'anime; car Michel est tout cela. Peut-être se souvient-il du temps où, à l'École des métiers commerciaux, il imitait Luis Mariano en clamant «Mexico! Mexico!», ou de cette autre époque, parisienne celle-là, où il chantait *Le Rapide blanc...* Mais il n'est jamais aussi maître de ses sentiments, aussi décidé à se battre que dans les circonstances éprouvantes.

«On est toujours en conflit d'amour avec lui», confie Michèle Bussière. Car si on l'aime pour ses qualités de coeur, son dévouement à la cause de la mode, sa personnalité belle et sensible, si on admire sa rigueur, sa foi incontestable, son acharnement au travail et sa constante volonté de perfection, on lui reproche aussi son égocentrisme. Il évite la confrontation et fait rarement appel au concours d'autrui. Son insistance à imposer sa loi traduit peut-être moins d'assurance qu'on ne lui en prête. Et pourtant, cet homme hésitant et volontaire, toujours impeccable, placide, terriblement consciencieux, évoluant dans un domaine éminemment fragile et éphémère est incontestablement toujours présent, en dépit des coups du sort et des aléas du temps. Il a apporté à l'histoire de la mode québécoise et canadienne de ce dernier quart de siècle une contribution qui dépasse sa réputation.

Écoutez-le, non pas dans ses prudences, ses pudeurs ou ses refus, écoutez-le quand il parle de ce métier et de la façon dont il l'accomplit. «La mode est l'un des rêves que nous accorde notre époque, mais ce rêve suscite et soutient un grand marché qui contribue à l'activité industrielle et au rayonnement commercial de chaque pays. Cette alliance de la création et de l'industrie, qui en fait frémir plus d'un et qui n'est pas facile à réussir, est une stratégie nécessaire au développement d'une mode d'ici. Après tant d'années passées à l'explorer, elle continue de me fasciner. On croit ne pas pouvoir aller plus loin, on croit que tout est fixé et fini à jamais, et puis, soudain, apparaissent des perspectives qu'on n'avait pas prévues, de nouvelles voies qui s'ouvrent à vous grâce aux expériences acquises et qu'il faut être prêt à saisir.»

Le talent, c'est ce qui vous met en selle, ce qui vient des profondeurs de l'individu. Rien ne distinguait Michel Robichaud, pas plus sans doute que ses voisins de quartier, Jean-Pierre Ferland ou Maureen Forrester ou, plus tard, Michel Tremblay, qui puisse laisser prévoir son choix de carrière. Il a quitté Paris où il était allé étudier et travailler parce qu'il avait d'autres ambitions qu'une carrière dans l'ombre d'un autre. Il a construit patiemment la sienne, comme Pénélope revenant toujours sur son ouvrage, et «sa vie se déroule comme un écheveau de laine sur un grand dévidoir, avec la même constance, la même opiniâtreté», constate Anne Richer de *La Presse*. Il est persuadé que si l'on veut fortement quelque chose, on l'obtient. Encore faut-il y ajouter du travail, de la persistance et de la discipline. Il a tout cela en abondance. Et une passion à partager.

«Il était déjà à vingt ans tout ce que chacun dans ce métier veut être», a écrit Marie Laurier du *Devoir*. Il a dirigé le fac-similé parfait d'une maison de couture européenne; servi une clientèle privée pour laquelle il a créé longtemps des modèles originaux; eu sa propre boutique où il a vendu des vêtements de prêt-à-porter féminin fabriqués pour la plupart dans ses ateliers; habillé les célébrités pour la scène et pour l'écran; lancé son propre parfum, sa propre ligne de cosmétiques; griffé des cravates, des maillots de bain, des bas, des ceintures, des accessoires divers, des bijoux de fantaisie; s'est fait le champion des uniformes; a osé se mettre à la portée de toutes les femmes et vendre des vêtements d'un bout à l'autre du Canada par l'intermédiaire d'un catalogue; présidé aux destinées du Centre de Promotion de la Mode. Cette année, le Fashion Group, section montréalaise, a fêté ses vingt-cinq ans de mode aux Cours Mont-Royal

162

en présence de tous ses amis du passé et du présent: ils étaient plus de trois cents; ce fut un événement professionnel et mondain, et certainement plus que ça, un moment très émouvant...

Le lendemain, Michel Robichaud se remettait au travail, comme il l'aurait fait après une présentation de collection. Il s'appuie sur son métier et ce qu'il en a fait, pour plonger dans un nouvel inconnu, un avenir à bâtir. On peut être certain qu'il va trouver encore des forces pour continuer une carrière qui a connu des zéniths, pour faire faire de nouveaux pas à la mode québécoise et canadienne. Déjà, il pense à des boutiques qui porteraient son nom et où l'on pourrait trouver l'ensemble des produits qu'il a créés, des boutiques qui auraient l'image du style Robichaud qui est tout autant une mode qu'une façon de vivre à la québécoise, qu'une perpétuelle recherche de la qualité, de la mesure, de la classe, qu'une certaine idée de l'élégance.

Homme d'affaires accompli et plus que jamais créateur, Michel Robichaud, avec ses yeux pervenche, son costume à double boutonnage à la fois moderne et classique, sa pochette de soie verte dénotant sa fantaisie, restera sans aucun doute *MONSIEUR MODE* pendant vingt-cinq années encore.

# Table des matières

Avant-propos ................................................. 9

1. Une enfance heureuse ........................................ 17

2. Paris aller-retour ........................................... 35

3. 1400, Avenue des Pins ....................................... 57

4. Turbulences ................................................. 77

5. La rue Crescent ............................................. 93

6. Vie privée .................................................. 117

7. Grandeur et servitudes ...................................... 141

Épilogue ..................................................... 159

Achevé      Imprimerie
d'imprimer  Gagné Ltée
au Canada   Louiseville